DONALD R. KEOUGH
COCA COLA'NIN EFSANEVİ BAŞKANINDAN

İŞ YAŞAMINDA
BAŞARISIZLIK İÇİN

ON
EMİR

MUHTAR KENT ÖNSÖZÜ İLE

MARTI

MARTI YAYINLARI:102
KİŞİSEL GELİŞİM: 11

İŞ YAŞAMINDA BAŞARISIZ OLMAK İÇİN ON EMİR
DONALD R. KEOUGH
ORİJİNAL ADI: THE TEN COMMANDMENTS FOR
BUSINESS FAILURE
YAYINA HAZIRLAYAN: ŞAHİN GÜÇ
ÇEVİREN: FATİH KIYMAN
DİZGİ: ELİF YAVUZ
KAPAK TASARIM: ŞAHİN GÜÇ
KAPAK UYGULAMA: METE GİRİŞGEN
BASKI: MELİSA MATBAACILIK
KAPAK FİLMİ: MAT YAPIM
REDAKSİYON: AYŞE SARIOĞLU

1. BASIM OCAK 2010
ISBN: 978-605-5872-70-0
YAYINEVİ SERTİFİKA NO:12330
Copyright © DONALD R. KEOUGH

MARTI YAYINCILIK
Bir Pozitif Turizm Dış. Tic. Ltd. Şti Markasıdır.
Cevizlik Mh. Sakızlıyalı Sk. No:25 Bakırköy/İstanbul
Tel: 0 212 583 24 50 - Fax: 0 212 570 73 98
www.martiyayinlari.com info@martiyayinlari.com

DONALD R. KEOUGH
COCA COLA'NIN EFSANEVİ BAŞKANINDAN

İŞ YAŞAMINDA
BAŞARISIZLIK İÇİN

ON
EMİR

MUHTAR KENT ÖNSÖZÜ İLE

MARTI

Bu kitap tüm dünyadaki olağanüstü
Coca-Cola ailesinin geçmişteki,
şimdiki ve gelecekteki
milyonlarca üyesine ithaf edilmiştir.

İçindekiler

Önsöz

Her yıl birçok kez dünyanın dört bir tarafındaki yüksek okul ve üniversite kampüslerinde öğrencilerle konuşur, liderlik ve mesleki gelişim üzerine fikirlerimi paylaşırım. Bugünün işletme öğrencileri, ister İstanbul'da, ister Indianapolis'te olsunlar hep aynı soruyu sorarlar: Geleceğin liderlerinde hangi özellikleri ararsınız? Verdiğim cevap her zaman aynıdır. Uluslararası kültür ve sınırlar arasında rahat çalışabilen, uzun süreli ilişkiler kurma becerisi olan ve kültürel çeşitliliğin değerini anlayan ve önem veren liderler ararım. Aradıklarımız girişimci, aynı zamanda hem diplomat hem de usta birer stratejist olabilecek esneklik ve kabiliyette olan insanlardır.

Tarif ettiğim bu lider tipi işte bu kitabın yazarı olan Don Keough'un ta kendisidir.

Coca-Cola Şirketi'nde 30 yılın üzerinde süren efsanevi kariyeri boyunca Don, şirket tarihinin en büyük coğrafi genişlemesinde ve hisse değeri artışında çok önemli sorumluluklar almıştır. Yetenekli bir konuşmacı ve yazar olan Don, belki de Coca-Cola toplantı salonlarının gördüğü en büyük iletişimcidir. Söyledikleri bize ilham vermiş, hepimizin içinde yatan "yapıcı tatminsizlik"e, yani daha iyisini yapmak ve daha iyi olmak isteğini kamçılamıştır.

Daha da önemlisi, Don'un yaptıkları, esin veren söylemlerinden de daha etkili olmuştur. Bitip tükenmeyen enerjisi, iyimserliği, dürüstlüğü ve tutkusu, tam da Coca-Cola markasının ruhunun canlı halini temsil eder.

Meslek hayatımın büyük bir bölümünde Don Keough'u tanıma ve onunla çalışma şansını buldum. Bu zaman boyunca benim için bir patron, harika bir akıl hocası, sonsuz bir esin kaynağı ve her şeyin ötsinde gerçek bir dost oldu.

Coca-Cola Şirketinde, kariyerimin başlarında yeni ve önemli bir göreve başlıyordum. Don'a bana neler tavsiye edeceğini sorduğumda; "Birlikte çalıştığın insanları dinle, onlarla empati kur ve onlara güvendiğini ve saygı duyduğunu hissettir. Bunu bir kere başardın mı, dağları yerinden oynatabilirsin" dediğini dün gibi hatırlarım.

Ben de Coca-Cola'da yeni görevlere başlayan arkadaşlarıma

aynı şeyi tavsiye ediyorum.

Bu kitabı okudukça, Don'un son derece zor durumları analiz etme ve onları çok açık bir dizi öncelik ve aksiyona dönüştürme kabiliyetinin ne denli yüksek olduğuna şahit olacaksınız. "On Emir" alışılageldik bir iş dünyası kitabından çok, bir arkadaşın bir arkadaşa yazdığı bir mektup gibi okunuyor. Don Keough'dan bundan azı da beklenemezdi zaten.

İçinde bulunduğumuz zorlu ekonomik dönemde ve iş dünyasında giderek artmakta olan güvensizliğin içinde Don'un kitabı, en az kariyeri boyunca dünyaya sunduğu serinletici içecekler gibi ferahlatıcı gelecek. Yazdığı kelimelerin gücünü geçtiğimiz aylarda ben de şahsen yaşadım.

Kısa bir süre önce bir seyahatte, gece yatmaya hazırlanırken, tüm Amerika'da yayınlanan ve Don'un bir gazeteciye konuk olduğu bir televizyon programına rastladım. Yeni kitabı hakkında konuşuyorlardı.

Don'un bahsettiği, iş hayatında başarısızlığa sebep olan emirlerden onuncusu "gelecekten korkmak"tı. Don gazeteciye "Geleceğe inanmalı ve gelecekle ilgili iyi olan her şeye kucak açmalısınız. Felaket habercilerine inanmayın–her zaman yanılırlar. Kötümserlik ve negatiflik bozguncular içindir. Gelecek fırsatlarla ilgilidir, sıkıntılarla değil" diyordu.

"On Emir" in sayfaları özellikle Türk iş dünyasının ve kurumlarının liderlerine aşina gelecektir. Milletimizin girişimcilik mirası, kültürlerarası alışverişi ve uluslararası ticaretteki başarısı Don'a meslek hayatı boyunca ilham vermiş ve birlikte çalıştığımız ve Türkiye'de tatil yaptığımız dönemlerde bir çok konuşmamızın kaynağı olmuştur.

Elinizdeki bir iş kitabından çok daha fazlasıdır. Hayatla ilgili harika bir başucu kitabıdır. Yaşamınızın ya da meslek hayatınızın neresinde olursanız olun Don'un bilgeliği, dürüstlüğü ve açıksözlülüğünden faydalanacaksınız.

Ben kesinlikle faydalandım. Umarım bu harika kitaptan keyif alırsınız.

Muhtar Kent

ÖNSÖZ

Mümkün oldukça, her zaman benden daha üstün insanlarla beraber olmak gibi bir kuralı hep inanarak izledim. Böyle yaparsanız hiç kuşku yok ki yükselirsiniz. Bu kural evlilikte de işime yaradı, Don Keough ile ilişkimde de.

Don Keough ile birlikteyken kendimi hep yukarı çıkan bir asansörde hissederim. Onun benim hakkımdaki fikirleri her zaman iyimserdir; öyle ki hedeflerimi yükselttiği gibi hem kendime hem de dünyaya duyduğum güveni artırır. Don'la beraberken hep bir şeyler öğrenir insan. İş hayatında inanılmaz bir yönetici ve önderdir. İyi yöneticilerin en büyük başarısı işleri kendileri yapmaları değil, başkalarına yaptırmalarıdır. Don öyle biri ki, dünyanın dört bir yanından kadın olsun, erkek olsun, onun başarısına destek olmaya istekli insanları bulabiliyor. Ben bunun tanığıyım.

Bu belki de olayların içindeki insan faktörünü herkesten iyi anlamasındandır. Benim çocuklarıma belki de benden daha iyi öğüt verir; zaten onlar da bu yüzden Don'a hayrandı. Ve bunu, dost saydığı herkes için yapar ki bu dostların sayısı da oldukça fazladır.

Benim akıl hocam Ben Graham'ın adını taşıyan Graham

Grubu, aşağı yukarı iki yılda bir toplanan bazı isimlerden oluşur. Bu toplantılara Don gibi bütün yakın dostlarım katılır ve herkes toplantının ana temasına ilişkin konuşmayı Don yapsın ister. Özellikle de Bill Gates. Bill, Don'un konuşmalarını dinlemeye bayılır çünkü Don son derece mantıklı ve ilham verici konuşur. Don size öylesine bir, "cehennemin dibine git" der ki, bu yolculuğu güle oynaya yaparsınız.

Don, sahibi olduğum Berkshire Hathaway şirketinin yönetim kurulu üyesidir çünkü kasamın anahtarlarını güvenle teslim edebileceğim az sayıdaki kişilerden biridir.

Omaha'da Farnam Sokağında karşılıklı evlerde oturduğumuz yıllara kadar geri giden neredeyse 50 yıllık bir geçmişimiz var onunla. O zamanlar ailelerimizin ekmeğini kazanmaya çabalayan adamlardık sadece. Eğer o zaman size birimizin Coca-Cola Şirketi'nin, diğerimizin de Berkshire Hathaway'in başkanı olacağımızı söyleseydik, herhalde "İnşallah ailelerinin bunlara bakacak parası vardır" derdiniz.

Bir gün Don'a gittim ve benimle birlikte yaklaşık on bin dolarlık bir yatırıma girmesini istedim. Hiç düşünmeden reddetti. O zamanlarda, ben de olsam kendimi reddederdim.

Ailelerimiz çok yakın dosttu, çocuklarımız hep birbirlerinin evine girer çıkardı. Don ve ailesinin Houston'a taşınması gerektiğinde bu benim çocuklarıma çok zor gelmişti. Gittikleri gün ağlayan ağlayanaydı.

İlginçtir ki Don ve benim oturduğumuz yer, ileride ortağım olacak Charlie Munger'in büyüdüğü yere yüz metre uzaktaymış. Don Houston'a ve sonra Atlanta'ya gitti, Charlie sonunda Los Angeles'a yerleşti. Fakat daha sonra hep içimizde yaşattığımız Omaha anılarımızla birlikte, yakın dostlar ve iş ortakları olarak yeniden bir araya geldik. Tabii bu günlerde pek çok insan, itibar kazanmak için Omaha'lı olduğunu söylüyor, o da başka.

Don Omaha'dan ayrıldıktan sonra yıllarca iletişimimiz kopmadı. Alfalfa Kulüp'te rastlardık birbirimize; hatta bir kez Beyaz Saray'da karşılaşmıştık. Don 1984 yılında bir gün benim "hele bir de içinde biraz vişne şurubu olursa" diyerek Pepsi'yi övdüğüm bir yazımı okumuş. Ertesi günü bana vişneli yeni ürünleri olan Cherry Coke'tan gönderdi ve "Tanrıların nektarı" dediği içeceği denememi istedi. Cherry Coke'u içtim ve Don'a şöyle dedim: "Denemeyi filan unut. Ben bu işten fazla anlamam ama bunun bir yıldız olacağından eminim."

Hemen eski markayı bırakıp, Cherry Coke markasını Hathaway şirketinin resmi meşrubatı ilan ettim. Birkaç yıl sonra Cherry Coke'tan hisse almaya başladım fakat bundan Don'a söz etmedim çünkü bunu şirketin avukatına söylemesi gerekebilirdi ve kim bilir sonu nereye varırdı. Onu zor durumda bırakmak istemedim.

Bir gün Don beni aradı ve "Sen sakın biraz Coke hissesi alıyor olmayasın," diye sordu. Ben de "Aslında biraz aldım" dedim. O tarihte şirketin yüzde 7,7 hissesi bizimdi.

Hisse almaya karar vermek benim için hiç zor olmadı çünkü Don'un şirketin başkanı olduğunu biliyordum. 1988 yılında benim gözümde Coke, ne yaptığını iyi bilen, doğruyu yapan ve sonuç olarak çok büyük değer taşıyan bir şirketti.

Coca-Cola Şirketi'ni bir insan olarak tasvir etmek isteseydiniz, Don Keough olurdu. Don o zaman da Bay Coke idi,

11

şimdi de öyle. Don, Benjamin Franklin ekolündendir: "İşine özen göster ki, o da sana iyi baksın." Genelde kendisi her zaman Coca-Cola için doğru olanı yapmıştır ve şirketinin de kendisi için doğru olanı yapacağına inanır.

Don'un en büyük meziyeti sorunun özüne inmesi, yani bürokrasinin sisleri içinde kaybolmamasıdır. İkimizin de ilkesi her şeyi sade tutmaktır.

Herbert Allen, adaylıklarını koysalardı başkan olabilecek iki işadamı tanıdığını söyler: Jack Welch ve Don Keough. Ben de katılıyorum; her ikisinde de o doğal ve parlak yetenek var. İkisi de çok şey öğrenebileceğimiz insanlar.

Bunca yıl sonra bile, Don Keough'yu her gördüğümde, Cherry Coke içmiş gibi ferahlamış hissederim kendimi. O heyecanlı canlılığını hiç kaybetmez. Onu Coke şirketinin yönetim kurulunda izledim, şimdi de Hathaway'inkinde izliyorum. Tıpkı eskiden olduğu gibi hevesli ve kararlı, enerji dolu, pek çok planı ve fikri var ve hepimizi bir şeyler hayal etmeye kışkırtıyor. Bu kitabın, pek çok kişinin o eşsiz Keough vizyonunu paylaşmasına yardımcı olacağını bilmekten mutluluk duyuyorum.

–Warren Buffett

İş Dünyasında Başarısız Olmak İçin On Emir

Giriş

Yirmi yıldan uzun bir süre önce, Coca-Cola Şirketi'nin başkanı olarak, Miami'de yapılan büyük bir müşteri toplantısına, ana temaya ilişkin konuşmayı yapmak için davet edilmiştim. Toplantının ana teması "Kazananlara katılın" idi ve benden iş dünyasında nasıl kazanılacağını anlatmamı istemişlerdi. Kısacası, başarının sırrını istiyorlardı.

Gerçi bu insanı onurlandıran bir istekti ama başarının nasıl zahmetsiz elde edileceği konusunda denenmiş ve doğru öğütler vermeye hazır konuşmacı zaten pek boldu. Futbol antrenörlerinden CEO'lara, psikologlardan öğretmenlere, vaizlere ve falcılara kadar başarının bilgeleri dağarcıklarında ne varsa, kitaplarda ve dünyanın tüm sahnelerinde teşhir ediyorlardı. Her ne kadar hepsi bir ölçüde yarar sağlıyorsa da, bu çabaların çoğu özet olarak "çok çalış" ya da "annenin sözünü tut" gibi basit klişelere indirgenebiliyordu. İş dünyasında harcadığım bir ömürden sonra, değil böylesine dinamik ve sürekli değişen bir alanda, hiçbir konuda başarıyı garantileyecek bir kurallar dizisi, ya da adım adım izlenecek bir yöntem bulabilmiş değilim.

Bıktırana kadar tartışılan ama yine de kesin bir sonuca bağlanamayan liderlik konusunu ele alalım. Bütün akademik yaşamını liderlik kavramını incelemeye adamış bir sosyo-

15

loji profesörü bir zamanlar bana şunu söylemişti: Ders verdiği 2 bine yakın öğrencisinin meslek yaşamlarını izlemiş ve şu sonuca varmış ki bir lideri tanımanın tek yolu, peşinden giden olup olmadığına bakmaktır. Dolayısıyla benden kazanmanın sırrını anlatmamı istediklerinde bunu yapamayacağım yanıtını verdim. Ancak, nasıl başarısız olunacağını anlatabilirdim ve vereceğim formülü uygulayan herkesin son derece başarılı bir başarısız olacağını da garantileyebilirdim.

Sonuç olarak, orada yaptığım kısa konuşma, zaman içinde "İş Hayatında Başarısız Olmak için Keough'dan On Emir"e dönüştü. Zaman geçtikçe, 1949 yılında o zamanlar pek yeni olan televizyon mecrasında, Nebraska eyaletinin Omaha kentindeki WOW-TV kanalından başlayan, 60 yıllık bir deneyime dayanan bu küçük kitap ortaya çıktı.

İkinci Dünya Savaşı'nda donanmada hizmet ettikten sonra, savaşa katılan askerlere tanınan burs olanağıyla Creighton Üniversitesi'nde okurken televizyonla tanışmıştım. Hukuk okuyup okumamayı düşünürken, beşeri bilimlerden lisans diploması aldım. Ana dalım felsefeydi. Gerçi bunca yıldır hiç "filozof aranıyor" diye bir iş ilanı görmedim, o da başka. Tahsilim boyunca insan ve evrendeki yeri, iyiliğin ve kötülüğün doğası, yaşamın gölgeleri ve gerçekleri hakkındaki büyük tartışmaları okuyor ve bundan büyük zevk alıyordum. Her ne kadar MBA diplomalılar bu tür "yararsız" bilgileri küçümseseler de, dünyamızın bilinen tarihinin büyük bölümü, çok eskiden yaşamış filozofların ifade ettiği fikirlerin gerçekleşmesine ya da çarpışmasına dayandırılabilir.

Üniversitede beşeri bilimlere olan ilgim yüzünden kendimi münazara kulübünde, doğaçlama konuşma ve sonunda sahne sanatları etkinliklerinin içinde buldum. "Keşfedilmem" ve üniversitenin tıp fakültesinde kapalı devreden canlı yayınlanacak bir etkinliğin sunuculuğunu yapma teklifi almam da bu döneme rastlar. Söz konusu etkinlik hasta bir hayvan üzerinde yapılacak ameliyatın, kapalı devreden büyük ders amfisindeki televizyon monitörlerinden yayınlanmasıydı. Ne yazık ki program fazla canlı olamadı çünkü hayvancık ameliyatın daha başlarında öldü ve yerine yeni bir hayvan bulunup getirilene kadar ben uzunca bir yayın süresini doldurmak zorunda kaldım. Çok şükür ki kapalı devre yayındı ve salonda sadece bir kaç kişi vardı. Aslına bakılırsa "reality show" türü televizyon programcılığının öncüsü olmuş olabilirim. İletişime gönül vermiş olsam da, hukuktan bazı dersler alarak, hukuka duyduğum hayranlığı geliştirme fırsatını buldum ama sonunda yine iletişime döndüm.

Üniversitede aldığım bir medya bursu sayesinde WOW-TV'de stajyerlik olanağı elde ettim. Şans bu ya, aldığım ilk görev, profesyonel bir Amerikan futbolu maçının Chicago'-nun batısında ilk kez yapılacak canlı yayınında sunuculuktu. Oyun, Los Angeles Rams futbol takımı ile New York Giants arasında yapılacak ulusal lig, sezon öncesi maçıydı. Kanalın her zamanki sunucusu bu yeni yayın aracına şöyle bir baktıktan sonra işi başkasına atmış ve kendisini dinleyen kim varsa, hepsine spor olaylarının televizyondan yayınlanmasının asla tutmayacağını anlatmıştı.

Rams-Giants maçı hayatımın unutulmaz anı olmadı. Saha beyzbol sahasından bozmaydı ve yayın kabini sayı noktasının tepesinden bakıyordu. Bu durumda sahanın en uzak noktasının en ucunda, mikrofonun başında oturuyordum. Stadyum kötü aydınlatıldığı için sahanın ancak yarısını görebiliyordum, üstelik bana oyuncuları tanıtacak olan yardımcı da geldiğinde sarhoştu. Bense anlaşılmaz ifadeler kullanıyordum. Hatta bir ara "Top bir inç çizgisinde" bile demişim.

Bu maçın naklen yayınının ardından Nebraska Üniversitesi'nin o yıl kendi sahasında oynadığı maçların canlı yayınları geldi. Husker takımının futbolu, eyalette din kadar ciddiye alınırdı. O yıllarda tüm Nebraska eyaletinde ancak birkaç düzine televizyon vardı ama bu gerçek, kanal idarecilerinin hevesini hiç de kırmıyordu. İleriyi gören yönetim, bu yeni iletişim mecrasının kısa sürede kendinden öncekilerin hepsini silip süpüreceğini anlamıştı. Sonunda öyle de oldu.

Rams-Giants maçında yaptığım talihsiz başlangıca rağmen, o yılın bütün Nebraska maçlarını anlamama izin verdiler. Bütün araç-gerecin daracık yayın kabinine taşınmasına yardım etmek zorundaydım ama buna değiyordu. Haftada 55 dolar gibi krallara layık bir ücret de alıyordum. Bu maaşın içine Keough'nun Kahve Tezgâhı adıyla günlük bir sohbet programı yapmak da dahildi. Bu programın hemen ardından, bu yeni mecrada yeni başlayan Johnny Carson adlı bir başka gencin sunduğu, çok daha profesyonel ve çok daha eğlendirici bir başka program giriyordu. O da haftada 55 dolar alıyordu. Johnny ile ömür boyu süren bir dostluk kurduk.

Yayıncılık sektörü ilginç olmasına ilginçti ama sunduğum sohbet programının sponsoru olan Paxton and Gallagher Butternut Coffee şirketi, onlara katılmam için haftada 75 dolar teklif etti. Paxton and Gallagher, merkezi Omaha'da bulunan bölgesel bir gıda toptancısıydı. Bu yeni iş daha çok para, daha az seyahat ve yeni evlendiğim karım Mickie ile daha çok beraber olabilme fırsatı demekti. 1950 yılının sonlarına doğru iş dünyasına adımımı attım ve bir daha da geriye dönüp bakmadım.

Çok başarılı bir işletme olan Swanson Foods adlı şirketlerini 1958'de Campbell Soups çorba üreticisine satan Gilbert ve Clarke Swanson, Gallagher ailesinden Paxton and Gallagher şirketini satın aldı. Büyük çapta genişletmeyi tasarladıkları şirketin adını da Butternut Foods olarak değiştirdiler. Böylece ben de iş yaşantımın yeni bir evresine girmiş oluyordum. Swanson kardeşler, 1950'lerde kazandıkları ilk servetlerini, o zamanki tüketicilerin iki talebine birlikte cevap veren yeni bir dondurucu teknolojisine dayalı çok basit bir ürünle elde etmişlerdi. Tüketici daha çok televizyon seyredebilmek ve yemeğini daha kolay hazırlayabilmek istiyordu ve bunun sonucu olarak TV yemeği denilen ürün doğdu.

Clarke Swanson'un ölümünün ardından Butternut Foods el değiştirdi ve kendimi yeni bir şirkette, yeni bir görevde buldum; Houston, Texas'daki Duncan Foods şirketi. Bu şirket o dönemde, sonraları Coca-Cola Şirketi'nin başkanı olan ve Carter yönetiminde Savunma Bakanı Yardımcısı ve Enerji Bakanı olarak görev yapmış olan Charles Duncan tarafından yönetiliyordu.

Daha sonra Duncan Foods, Coca-Cola Şirketi tarafından satın alındı ve ben dünyanın bu en çok tanınan markasını temsil etmeye çalıştığım değişik görevlerde 30 yıldan sonra 1981 yılında Duncan'ın ardından şirketin başkanı oldum. İş dünyasındaki kariyerimin çok büyük bölümü Coca-Cola Şirketi'nde geçtiği için, kitapta bu sıra dışı küresel şirketten pek çok kez söz ettiğimi göreceksiniz.

Coca-Cola Şirketi'nden örnekler vermemin haklı bir nedeni var. Çünkü geniş bir çeşitlilik içeren ve çok yönlü bir şirket. İmalattan dağıtıma ve perakendeciliğe, sokak satıcılığından büyük toptancılara uzanıyor ve her ırktan, dinden ve kültürden çok sayıda insana ulaşıyor. Coca-Cola'da çalıştığım yıllarda devlet başkanlarıyla, diktatörlerle, sanayi önderleriyle, şairlerle, ressamlarla, film yıldızlarıyla tanıştım. Daha da önemlisi, Coca-Cola'nın şişeleme ortaklarıyla, perakende gıda dükkanı sahipleriyle ve Kuzey Kutbu'ndan Tierra del Fuego'nun en güney ucuna, Çin anakarasından Alt-Sahra'nın olaylı bölgelerine kadar dünyanın her köşesinde yaşayan tüketicilerle konuşma ayrıcalığına sahip oldum. Gerçi hiçbir şirket tüm dünyayı ve tüm insanlığı kucaklayıp saramaz ama Coca-Cola buna en çok yaklaşanlar arasındadır.

Bu kitap boyunca, kendim de dahil olmak üzere şirket yöneticilerinin başarısızlığın tuzaklarına bir veya daha çok kez nasıl düştüklerinden örnekler veriyorum ama aynı zamanda şunu da memnunlukla belirtiyorum ki, bu başarısızlıkların pek çoğu kısa sürmüştür, telafi edici önlemler alınmıştır ve şirket hayatta kaldığı gibi, büyümüştür de. 2008 yılında gelindiğinde Coca-Cola, seçkin meslek yaşamını CEO olarak kapatmaya hazırlanan Neville Isdell ile, CEO olarak onun yerini almak üzere seçilmiş olan ve Coca-Cola'nın sistemine de çalışanlarına da derin bir saygı duyan parlak yönetici Muhtar Kent'in önderliğinde yeni bir büyüme dönemi yaşıyor.

Daha fazla ilerlemeden önce, Coca-Cola'nın yönetiminde beraber geçirdiğimiz 12 yıl içinde Roberto Goizueta ile aramızdaki ilişkiyi anlatmalıyım. Her ikimiz de şirkette yıllarca birlikte çalışmış ve dost olmuştuk. 1981 yılının Mart ayı başında Roberto yönetim kurulu başkanı ve CEO oldu, ben de şirketin başkanı ve Roberto'nun işletmeden sorumlu yardımcısı, yani Chief Operating Officer oldum.

Aramızda çok farklı, yakın bir dostluk ve önümüzde büyük bir görev vardı. Roberto, COO ve yönetim kurulu üyesi olarak bana, dünyanın ikiyüzden fazla ülkesinde Coca-Cola'-nın sistemine canlılık kazandırmam için geniş yetkiler verdi. Şurası yanlış anlaşılmasın; Roberto bana yetki tanıdı ancak CEO olarak kendisinde olan son karar yetkisini vermedi, zaten veremezdi. Sonuçta benim patronumdu ve Amerikan iş dünyası tarihinin gördüğü en parlak yöneticilerden biriydi. 1981'de şirketin piyasa değeri 4 milyar dolarken, Roberto 1997'de öldüğünde bu değer 145 milyar dolar olmuştu.

On yıl önce Coca-Cola Şirketi'nden emekli olduktan sonra, yatırım bankacılığı şirketi Allen & Company'nin yönetim kurulu başkanı olarak yine iş hayatında faal kalmaya devam ettim. İşte bu deneyimlerime dayanarak size on emri anlatacağım ve şunu da garanti edebilirim ki, bunlardan en az birini dikkatle uygularsanız, kesin bir başarısızlığa giden yolda en azından iyi bir başlangıç yapmış olursunuz. İnanın, şirketlerin batması hiç de ender görülen bir şey değildir. ABD iflas mahkemelerine göre 2007 yılının ilk üç çeyreğinde 20,152 şirket iflasını istemiştir.

Bu iflasların nedenini açıklayacak, kerameti kendinden bir sürü şirket yönetimi uzmanı ve ellerinde iflasın stratejik nedenlerini ayrıntılarıyla açıklayan binlerce PowerPoint sunumu var... Kötü müşteri hizmetleri, rakipleri küçümseme, tedarik zincirinde kopukluk, yanlış alımlar ve / veya fazla borçlanma. Bunlar çok kez soyut ve toplu bir başarısızlık olarak ifade edilir. "Şirket inovasyonda başarılı olamadı. Şirket kurucularının görüşlerine önem vermedi. Şirket şunu yaptı. Şirket bunu yapmadı." Ne var ki şirketler yapay yapılardır. "Bir şirket şunu yapamadı" diye bir şey olmaz. Başaramayan bireylerdir. Ve biraz derine gittiğinizde, genellikle başarısızlığın temelinde yatanın bir stratejik hatalar listesi olmadığını (gerçi bunlar da şu ya da bu biçimde var olabilir), bunun yerine asıl hatanın, Shakespeare'in dediği gibi kendimizde, yani şirket yöneticilerinde olduğunu görürsünüz. Şirketler, yöneticilerindeki kişisel özelliklerin ürünü ve uzantısı, yani onları yöneten insanların uzayan gölgeleridir. İş dünyasının sahnesindeki asıl oyuncular onlardır ve kendi kişiliklerindeki bir ya da birkaç kusurdan dolayı işi yanlış yöne götürürlerse, o zaman o şirketin varacağı nokta batmaktır.

Bu kitaptaki emirlerin, bir şirketin herhangi bir gelişme aşamasında uygulanması mümkündür ancak bunlar esas olarak, belli bir düzeyde başarıya ulaşmış şirketler ve üst düzey yöneticiler için düşünülmüştür. Hatta ne kadar başarılıysanız, bu emirler de size o kadar uygun düşecektir. İster büyük ister küçük olsun, satışları ve kârı yüksek olan bir kuruluşunuz varsa, dikkatli olun. Emirlerimden birini uygulama riskinin var olduğu bir dönemdesiniz demektir ve başarısızlık karşınıza çıkmak üzeredir.

Burada bazı kişiler örnek olarak verilmiş olmasına rağmen, başarısızlık kuralları hiçbir şekilde belirli kişileri suçlamaya yönelik değildir. Bu emirler işletmecilik felsefesinde büyük açılımlar yapacak parlak buluşlar da değildir. Sadece akla yakın açıklamalardır.

İsterse, iş dünyasında toplu işbirliği yöntemleri demek olan en yeni wikinomi esaslarını uygulasın, bana batık bir şirket gösterin, gayet rahat iddiaya girerim ki yöneticileri bu emirlerden bir veya fazlasını yerine getirmiştir. Başarısızlığa doğru atılan bir adım, eğer denetlenmezse, bir yenisini getirir.

Dolayısıyla bu kitabı uyarı niteliğinde bir öykü gibi okuyun. Eğer buradaki emirlerden birini ya da daha birkaçını uyguladığınızı fark ederseniz, dikkat! Başarısızlığa giden yolda ilerliyorsunuz ve şirketinizi de birlikte götürüyorsunuz.

Birinci Emir –Liste Başı

Risk Almaktan Vazgeçin

> *"Aşırı temkinli olan, az şey başarır."*
> –Friedrich von Schiller

İNSANLARIN BÜYÜK ÇOĞUNLUĞU İÇİN ve tarihin büyük bölümünde riskten kaçınma en yaygın benimsenen tavır olmuştur. Bildiğimiz kadarıyla avcılar ve toplayıcılar dere tepe dolaşırdı ama ne zaman ki tarım devrimi insanlara yerleşme olanağını sundu, insanlar hemen bunu tercih ettiler. Haksız da değillerdi. Dışarıdaki dünya tehlikeliydi. Ürkütücü bölgelerin "terra incognito" yani bilinmeyen topraklar olarak işaretlendiği, hatta bazen "Burada ejderhalar yaşar" gibi daha da tehditkar uyarılarla bezendiği eski denizcilik haritalarına bir bakın. Böyle yerlere yelken açma tehlikesini kim göze alırdı ki?

Alan oluyordu elbette. Ancak insanların çoğu yaşadıkları yerlerden ayrılmadılar. Tehlikeye girenin başına pek çok şey gelebilirdi ve böyle düşünenlerin çoğu haklıydı da. Bugün Afrika'nın Alt-Sahra bölgesi gibi, Ortadoğu ve Güneydoğu Asya'nın bazı bölgeleri gibi yerlerde hâlâ riskten kaçınmayı öngören "eski köye yeni adet çıkarmayalım" kültürü hakimdir. Değişmezlik zinciri, çoğu mutlak bir yoksulluk içinde yaşayan ailelerde ve gruplarda kırılmadan sürer. Öte yandan Amerika'nın öyküsü en başından beri bir risk alma öyküsü olmuştur. Kristof Kolomb'dan Jamestown'a, İkinci Kıtasal Kongre'den* Thomas Jefferson'ın etkileyici ifadelerini taşıyan Bağımsızlık Bildirgesi'ne kadar, bu ulus hep birbiri ardına alınan riskler üzerine kurulmuştur. Bizler, dayanıklı, dirençli ve canlarına varana kadar her şeyi tehlikeye atan ve sonunda neredeyse aşılmaz güçlükleri aşmayı başarmış, risk alan insanların torunlarıyız. Hector St. John de Crevecoeur 1872'de şöyle yazmıştı: "Burada bütün uluslar kaynaşarak yeni bir insan ırkı oluşturuyorlar ki bunların alın teri ve torunları bir gün dünyada büyük değişimler yaratacak. Amerikalı yeni bir insandır."

Benim dedemin babası Michael Keough 1848 yılında İrlanda'yı bırakıp tek başına, o zamanlar "acı gözyaşları kâsesi" denilen Atlantik Okyanusu'nu aşma riskini göze aldığında 18 yaşındaymış. Kalabalık, fareler, pislik, hastalık kaynayan ve taşıdıkları insan yükünü hiç umursamayan sert kaptanların emrindeki o gemilerdeki koşullar korkunçtu. Yolculuk sırasında ölenlerin cesetleri denize atılırdı ya da karaya çıkılan ilk yerde bırakılırdı. Kanada'daki Grosse Ile adasında binlerce İrlandalı göçmen isimsiz mezarlarda yatıyor.

---

* Amerika'nın bağımsızlık ilanından önce sürdürülen mücadele içinde 1775 yılında on üç koloniden temsilcilerin Philadelphia'da bir araya geldiği toplantı.

Amerika'ya gelirken İrlandalılar'dan daha kötü koşullara maruz kalanlar bir tek Afrikalı kölelerdi. Amerika'ya varabilenlerin çoğu ise, kendilerini Vaat Edilmiş Topraklar'ın değil, gün doğuşundan batışına kadar süren çok ağır çalışma koşullarının beklediğini gördüler. Büyük dedemin bulabildiği tek iş, Massachusetts, Pittsfield'da bir taş ocağında günde 16 saat taş taşıma işiydi ki bu mahkumların çalışma koşullarından ancak bir gömlek daha iyiydi. Ne var ki bu ağır çalışma karşılığında karnı doyuyordu ve güvenlik içinde yaşayabiliyordu, üstelik bir süre sonra evlenip çocuk sahibi olduğuna bakılırsa, Pittsfield'da kalıp yerleşmeyi istemiş olması çok muhtemeldir.

Böyle düşünmenin bir mantığı var çünkü insanlar, ne kadar küçük olursa olsun, bir şeyi elde ettikleri zaman, artık riske girmekten vazgeçme isteği duyarlar.

Bu, insanın doğasında vardır. Sahip olduğum bir şey var. Neden onu tehlikeye atayım? Dağın ardında kim bilir neler var. Sakın gitme oraya!

Herhalde dedemin babası da bunlara benzer sözleri hem kendi düşüncelerinde, hem de Pittsfield'da çevresindekilerden duyuyordu.

"Kal burada, bir işin var. Kaya taşımak onurlu bir iştir. Hiçbir şeyi olmayan binlerce insan var!"

Ancak Michael, Pittsfield'ın sunduğu yıpratıcı ama bildik düzenin içinde kalmak yerine, risk almayı seçmiş ve bir öküz arabasıyla, kıtanın yarısını aşarak Iowa denilen çok uzak bir yere taşınmış. Çok da iyi etmiş.

Oğlu John, yani benim dedem, varını yoğunu kar fırtınalarının, kum fırtınalarının ve çekirgelerin tahrip edebildiği mahsullere bağlayarak Iowa'daki çiftliği büyütmüştü. Bana anlattığını hatırlıyorum; arazisinde öyle az ağaç varmış ki, dedem tek yakıt olan odun için her hafta atla 20 mil mesafedeki Rock River'a gidermiş. Bir gün baltayı salladığı gibi ayak parmağını kesmiş. Parmağını tekrar kopan yere bastırıp çuval beziyle bağlamış ve işine devam etmiş. Dedemin ayak parmağına da, ayağına da, kendisine de hiçbir şey olmamış. Hem de antibiyotiksiz.

Bu ülkede eşsiz bir gen havuzuna sahibiz. Çoğumuz, diğerleri geride kalmayı seçerken gemilere binen, takdir edilecek kuşaklardan geliyoruz. Bu insanların pek çoğu karaya ayak bile basamadılar. Atlantik Okyanusu'nu, Pasifik Okyanusu'nu (ya da dağları, çölleri, bozkırları) aşabilenlerin ödülü ise ya çiftliklerinde her mevsim yaşadıkları bitmez tükenmez zorluklar ya da bugün hayal bile edemeyeceğimiz kadar pis ve tehlikeli demiryolu inşaatlarında, madenlerde, fabrikalarda çalışmak oldu. 1900 yılında Amerikalı aileler, ilaca verdikleri paranın iki katını cenaze törenlerine harcıyorlardı. Ama bir biçimde ayakta kalmayı başardılar.

Dedelerimizin yaşadıkları zorlukları aşmak için nelere katlandıklarını düşündüğümüzde, bizim bürolarımızda geçirdiğimiz her gün, parkta bir gezinti gibi sanki.

Ne var ki yaşamlarımız zenginleştikçe ve daha rahat bir hale geldikçe, risk almaktan vazgeçme eğilimi çok güçleniyor.

İşte bu, başarının başlıca hastalıklarından biridir. Özellikle insanın yaşı ilerledikçe buna yakalanmak kolaylaşır. Ama ille de 60 yaşına gelmeyi kast etmiyorum. İnsan bu hastalığa 40 yaşında da yakalanabilir. Şöyle dersiniz: "Ömür boyu hep risk aldım... Kaygılar içinde, uykularım kaçarak... Artık başkası yapsın. Ben bulunduğum durumdan memnunum."

Kimileri, yeni bir girişimcinin evini ve sahip olduğu her şeyi yeni bir fikri sınamak ya da yeni bir üretim biçimini ilk kez denemek uğruna ipotek etmesini, alınabilecek en zorlu risk olarak görür. Kurulan beş işten dördü batar. Pek çok yeni ürün, piyasadaki deneme aşamasını bile geçemez; geçse bile başarı şansı 13'te birdir. Bağımsız İş Araştırma Vakfı Ulusal Federasyonu'nun tahminlerine göre personel çalıştıran yeni işyerlerinin ancak yarısı, kurulduktan beş yıl sonra hâlâ çalışır durumda oluyor, üstelik bunların pek çoğu zarar ediyor. Yani kolay değil..

Aynı derecede, hatta daha da güç olanı ise, hatırı sayılır bir başarı ortadayken risk almaktır; yani aslında hiç de gerekli olmadığını destekleyecek gayet güçlü kanıtlara rağmen riske girmektir. Bugün, zarar durumlarından yönetişim kurallarını ve yönergeleri ihlale kadar pek çok perspektiften yapılan risk değerlendirmelerine çok zaman ve enerji harcanıyor. Ben risk değerlendirmesi konusunda uzman değilim. Deneyimlerime göre yeni veya daha büyük bir riske girme ihtiyacını düşünmenin birinci ön koşulu, işler olduğundan daha iyi olmalı, yeni bir şeyler yapmazsak geleceğimiz tehlikede ya da, en kötüsü, galiba bir fırsatı kaçırıyoruz diyen o tedirgin edici duygu olmuştur. Coca-Cola Şirketi'nde bazen işler son derece iyi giderken büyük bir huzursuzluk duyardım. Rusların dediği gibi, "Her şeyin fazla iyi olması da iyi değildir."

Sık sık, üst düzey yöneticilere gidip, "Neden her şeyin bu kadar iyi gittiğini bana bir daha anlatın. Yarın da kaygılanacak bir şeyimizin olması için, bugünden bizi kaygılandıran bir şey olması gerekmiyor mu" dedikçe herhalde pek çok kişiyi kızdırmışımdır.

MODERN COCA-COLA Şirketi'nin babası ve gerçek kurucusu olan Robert Woodruff, Oscar Wilde'ın "Dünyanın sahibi hoşnutsuz olanlardır" deyişini çok severdi ve sık sık tekrarlardı.

Coca-Cola 1886 yılında kuruldu. Woodruff 1930'da, bunca başarılı geçen yıldan sonra bile hoşnut değildi. O zamanlarda daha taze olan yurtdışı faaliyetleri güçlendirmek ve uluslararası pazarda daha da büyümek istiyordu. Haklı olarak yönetim kurulu, zamanın böyle bir maceraya atılmak için uygun olmadığı görüşündeydi. 1929'da borsa çöküşü yaşanmıştı. Almanya, İtalya ve Japonya açıkça savaşa hazırlanıyordu. Kesin olan tek şey, çok yüksek olan belirsizlikti.

Peki Woodruff ne yaptı? Bugün herkesi şaşırtacak bir şey... Borsa denetleme kurumu SEC'in (Securities and Exchange Commission) olmadığı o tarihte Woodruff muazzam bir kişisel riske atıldı. Yönetim Kurulu'nu atlayarak New York'a gitti ve orada bağımsız Coca-Cola İhracat Şirketi'ni kurdu. Eğer Woodruff bunu yapmamış olsaydı, bugün Coca-Cola Şirketi'nin nerede olacağını düşünemiyorum bile. Kesinlikle dünyanın 200 ülkesinde iş yapıyor olamazdı.

İhracat Şirketi 1973 yılına kadar oldukça bağımsızdı.

Bu 43 yıl boyunca şirketin ABD'deki en üst yöneticileri, yurt dışındakilerle hemen hemen hiçbir ilişki kurmadı. Woodruff, seçtiği kişilere bir yabancı ülkeye gidecek bilet ve biraz da para veriyordu ve bu kişiler, o ülkede Coca-Cola'nın ne zaman ve nasıl faaliyete geçeceğine karar verene kadar onlarla görüşmüyordu. O yıllarda küresel iletişim hem güçtü hem de düzensizdi. İşler güven üzerine kurulmak zorundaydı. Bu durum, güçlü bir örnek ve gelecek yıllara uzanan kalıcı bir uluslararası işletme felsefesi yarattı.

1964 yılında, Woodruff'ın Japonya'da işi kurması için seçtiği kişiyle bu ülkedeydik. Bu adam genel merkezden gelen bütün notlara ve talimatlara şöyle bir bakar ve çoğunu çöp sepetine atardı. En üst yönetimin kendisine olan güven ve desteğine sahip olduğunu bilirdi ve önemli olan tek şey buydu.

Woodruff'ın 1930 yılında aldığı bir risk daha vardı ki, bu belki ihracat pazarlarına açılmaktan daha da büyüktü.

Büyük Bunalım 1933 yılını da tamamlamak üzereyken, şirketler batıyordu, borsa hâlâ çok düşük düzeylerdeydi ve Amerika'nın çalışabilecek erkek nüfusunun dörtte biri işsizdi. Uzmanların çoğu, ülkede refahın yeniden canlanması olasılığının çok zayıf olduğu görüşünde birleşiyorlardı. Bu karamsar tabloya rağmen Woodruff şirketin reklam bütçesini 4,3 milyon dolara yükseltti ki bu, o dönem için akılları durduracak kadar yüksek bir tutardı.

Bunu yapması hepimiz için çok iyi olmuş çünkü ressam Haddon Sundblom da her yıl Noel mevsiminde yayınlanan reklam dizisinde hepimizin sevgilisi olan o al yanaklı tombul Noel Baba'yı 1930'lu yıllarda çizmişti. Bu reklamlardan önce Noel Baba, sanki azıcık bile yaramazlık yaptıysanız size

Noel hediyesi diye bir parça kömür getirecek gibi duran ciddi ve asık bir yüzle tasvir edilirdi. Woodruff'ın milyonlarca dolarlık bir riske girmesi sayesinde hepimiz çok daha sevecen, candan ve sevimli bir Noel Baba'ya kavuştuk. Ve Coca-Cola satışları patladı.

Geçmişte pek çok başarılı şirket, kritik anlarda önemli riskleri alamadıkları için bunun acısını çekmiştir. Bazıları tökezlemiş ama daha sonra durumlarını düzeltmiştir ama sadece düşmekle kalmayıp yok olanların sayısı da az değildir. Sadece 1980'li yıllarda 230 şirket, Fortune dergisinin ilk 500 listesinden düştü. 1900'lü yılların en büyük 100 şirketinden bugün sadece 16'sı ayakta. Kapitalizmin mezarlığında kim bilir kaç mezar taşında şöyle yazar: "Burada risk almadan ölen bir şirket yatıyor."

Risk alma tarihinin belki de en dramatik ve en çok örnek gösterilen risk alma ve ardından risk almama öyküsü, bilindiği gibi Xerox'un başından geçmiştir. Bu öyküde hem büyük başarı hem de büyük trajedi vardır.

Xerox'ın kökeni, Haloid Company adıyla bilindiği 1906 yılına kadar uzanır. 41 yıldan beri New York eyaletinin Rochester kasabasında başarıyla fotoğraf kağıdı üretmekteyken, 1947 yılında, başka kimsenin cesaret etmediği devrimci bir fikir uğruna büyük bir riske girdiler. New York kentinin Queens semtinde yaşayan ve kimsenin pek tanımadığı bir mucit olan Chester Carlson, yıllardır icat ettiği "elektrofotografik" kopyalama yöntemiyle ilgilenecek birilerini arıyordu. Herkes "Kopya kağıdı gayet güzel iş görüyor" diyordu. İçlerinde IBM ve General Electric'in de bulunduğu yirmiden çok şirket Carlson'u geri çevirdi. Carlson'un tanımıyla bu şirketler buluşuna karşı "coşkulu bir ilgisizlik" göstermişlerdi. Carlson sonunda yöntemini geliştirmek için Ohio eyaletinin Columbus kentindeki Battelle Memorial Institute adlı kuruluşla anlaşma yaptı. Haloid, icadı burada gördü ve Carlson'un teknolojisine dayalı bir kopyalama makinesini üretmek ve pazarlamak için ruhsat aldı. "Xerografi" terimini de Ohio Eyalet Üniversitesi'nden bir klasik diller profesörünün, Yunanca'daki "kuru" ve "yazı" sözcüklerinden oluşturduğu bilinir. Yeni aldığı isimle Xerox-Haloid şirketini ilk tanıdığımda, biraz hantal, orta büyüklükte bir kuruluştu. Hiç iddialı bir yanı yoktu. Rochester'daki yerleri muşamba döşemeli ve demir masalı bürolarında, plastik cep kalemlikleri takan ciddi ifadeli mühendisler dolaşıyordu. Ama bunun yanı sıra bu şirkette bir heyecan ve tutkulu bir bağlılık ortamı vardı.

Derken 1958'de yani Carlson'un buluşunu geliştirmeye karar verdikten on yıl sonra, deneme montaj bandından bej ve kahve renkli, dümdüz bir metal kutu çıktı. Bu dünyanın ilk çizgisiz kağıt kopyalayıcısıydı ve 1959 yılında Xerox 914 adıyla piyasaya çıkarıldığında tüm ülkedeki iş yerlerinde kopya kağıdı bir anda eskilerden kalma bir antika oluverdi. Ve dünyanın sözlüğüne artık yeni bir sıfat olarak "Xerox" ve şirketin marka haklarını korumakla görevli avukatlarını çaresiz bırakan "zerokslamak" fiili girivermişti.

Xerox 914, giderek dünyanın en başarılı sanayi ürünlerinden biri oldu. 1959'dan 914 modelinin üretiminin durdurulduğu 1976 yılına kadar 200 bin adet üretilmişti. Bugün Xerox 914, Smithsonian Enstitüsü Müzesi'nde Amerikan tarihinin parçası olan bir eşya sıfatıyla yer almaktadır. Xerox, bir tek teknolojiye dayalı risk alarak, on yıldan kısa sürede 1 milyar doları aşan bir kazanca ulaştı. Daha sonra şirket bir süre yolunu şaşırdı çünkü riske atılmaktan vazgeçtiler, üstelik kendi icatlarında bile.

Şirketin genel merkezi Rochester'dan, Connecticut eyaletindeki daha gösterişli Stamford'a taşındı, muşamba kaplı zeminlere tüylü halılar döşendi ve demir masalar yerini kaliteli ahşap masalara bıraktı. Genel merkezdekilerin çoğu Xerox'un "kutu" günlerinden kalma yöneticilerdi. Kutu biçimli kopya makineleriyle büyümüş ve zenginleşmişlerdi ve geleceği sadece daha fazla kopya makinesi satmak olarak görüyorlardı.

Bu arada şirket, 1973 yılında California eyaletinin Palo Alto kentinde bir araştırma merkezi kurmuştu. Bu tesiste 1973 yılında Alto'nun ilk tanıtımı yapıldı. Alto, grafik uyumlu monitöründeki ikonlarıyla, ekranda üst üste açılabilen "sayfa"-larıyla ve fare denilen komik bir aletiyle, ilk kişisel bilgisayar, yani ilk PC idi.

O noktada Xerox, gelecekteki rakiplerinden en az beş yıl öndeydi. Ancak genel merkezdeki kutu günlerinin adamları, risk almayı beceremedi. Daha önce de söylediğim gibi bu, başarının önde gelen hastalıklarından biridir. Başka iki hastalık ise rahatlık ve kendini beğenmişliktir.

Sonunda, Palo Alto Araştırma Merkezi'ni bırakıp Apple ve Microsoft gibi şirketlere geçen mühendisler, Stamford'da yumuşak halılı bürolardaki üst düzey yöneticilerin kendilerine kulak vermediklerinden şikayet ediyorlardı. 1990'ların sonlarına gelindiğinde Xerox, kopyalama makinelerinde liderliği elden kaçırmıştı ve hem zarar gösteriyor hem de çok sayıda işçi çıkartıyordu. 2002 yılında SEC, şirketi muhasebe kusurları ve bazı yöneticilerini de hisse senetlerinde sahtekarlık yapmakla suçladı. Ancak ben bu kitabı yazarken Xerox hâlâ ayaktaydı ve yeni bir yönetimle kendini yeniden yaratmaya uğraşıyordu.

Buradaki örnek, teknolojik yenilikler üzerinde yükselmiş, kendine güveni olan ancak tek bir ürünle elde ettiği başarıya kendisini fazlasıyla kaptırıp, ülkenin diğer kıyısında da olsa, kendi içinden yaratılan yeni fırsatlar için bile risk almayı beceremeyen bir şirket. Bu şirket, uzun vadede kâr yaratmak için kısa vadede inovasyona gitmek gerektiği gibi basit bir gerçeği göremedi.

Elbette ilerleme yolunda bazı başarısızlıklar her zaman olacaktır. Walter Isaacson yazdığı o harika Einstein biyografisinde, Einstein'ın Princeton Üniversitesi'ndeki odasında ihtiyacı olan eşyaları sayarken çalışma masası, koltuk, kalemler, kağıt ve "yapacağım yanlışları alacak çok büyük bir çöp sepeti" istediğini anlatıyor. İş hayatında Steve Job'un Lisa'sı ya da Power McCube gibi hataları savunmak mümkündür çünkü bunların doğduğu o çok yaratıcı Apple ortamından aynı zamanda iPod ve iPhone da doğmuştur. Hatta ülkedeki tüm iş idaresi fakültelerinde "neyi - nasıl - yapmamalı" dersi olarak okutulan, Edsel veya 45 devirli plaklar, hatta New Coke gibi artık anlatıla anlatıla masal olmuş örnekleri bile haklı göstermek mümkündür. Bu başarısızlık örnekleri, sonradan görülen yönetim hataları olarak bize çok değerli dersler verir ama bunların her biri, aslında beklenen sonucu vermeyen risklerden başka bir şey değildir. Meydana geldiklerinde pahalı sonuçlar doğursalar da bu tür yanlış hesaplar, iş hayatında kalma bedelinin bir parçasıdır. Peter Drucker'in neredeyse 50 yıl önce işaret ettiği gibi, yöneticilerin başlıca görevi, şirketin gelecekte var olmasını güvence altına almak için, bugünkü varlıklarını ihtiyatlı olmak şartıyla, riske sokmaktır. Bence bir şirket hiç başarısızlık yaşamamışsa, yöneticileri yeterince hoşnutsuz değildir ve aldıkları maaşı hak etmiyordur.

Xerox'ta hiçbir hoşnutsuzluk yoktu. Pek rahatlardı ve dediğim gibi, eğer çok rahatsanız, o zaman riskten kaçınma isteği öylesine büyür ki buna direnmek neredeyse olanaksız olur. Ve başarısızlık neredeyse kaçınılmaz hale gelir.

İkinci Emir

Esnek Olmayın

> *"Ben mevcutbdurumu olduğu gibi*
> *bırakmaktan yanayım."*
> — Yogi Berra

RİSK ALMAMAK ve esnek olmamak yakından ilintilidir fakat aralarında ufak bir fark vardır. Gerçekten esnek olmayan insanlar, aslında riskten kaçınmıyorlardır. Onlarınki sadece bir değişim ya da bir yenilik için riske girme isteksizliği değildir. Onlar kendi yöntemlerine öylesine kesin inanırlar, başarının formülünün kendilerinde olduğundan öylesine emindirler ki, bir işi başka bir yöntemle yapmanın mümkün olduğunu asla kabul edemezler. Aynı şey Coca-Cola Şirketi'nin başına geldi.

1920 yılında Coca-Cola adının kullanımından kaynaklanan bir anlaşmazlık, Yüksek Mahkeme'ye kadar giden bir dava haline gelmişti. Yüksek mahkeme yargıcı Oliver Wendell Holmes'in Coca-Cola'yı, "tek kaynaktan gelen ve toplumda yaygın olarak tanınan tek bir nesne" olarak tanımlamasıyla dava şirketin lehine sonuçlandı.

Şirket bu tanımlamaya öylesine hayran olmuştu ki, neredeyse İncil'den bir ifade gibi, tartışmasız kabul edilerek büyük bir kıskançlıkla korunmaya başlandı ve ürünün kaynağı da kendisi kadar şirkete münhasır sayılmaya başlandı. Yöneticiler Coca-Cola'yı "Coca-Cola"dan başka bir şey olarak görmekten acizdiler ve körlüğümüzün anahtarı da şuydu: "Bildiğiniz yeşil şişesinin içindeki Coca-Cola". Şirketin yöneticileri, meşrubat ile şişesini aynı şey olarak görüyorlardı. Çan biçimli Coca-Cola bardağı da vardı ama o hiçbir zaman ince belli şişe gibi tescil edilmemişti.

Neredeyse yarım yüzyıl boyunca bütün reklamlarda meşrubat ve şişesi birlikte gösterildi. Eisenhower'dan Noel Baba'ya kadar herkesin elinde o güzel yeşil şişe vardı. Sembol haline gelmiş o yüz mililitrelik yeşil şişe ambalajını değiştirmiyorduk, değiştiremiyorduk ve değiştirmedik. Yüz mililitrelik o ince belli yeşil şişe, Tanrı'nın Coca-Cola'nın satılmasını istediği biçimde, yani "tek nesne"ydi ve Tanrı şahittir, tüketici ne isterse istesin, biz de onu bu şekilde satacaktık! İkinci Dünya Savaşı'nın sonunda yöneticiler öylesine katı bir tutum içindeydiler ki, bu yüzden şirketin büyümesini bile engelleyebilirlerdi.

Coca-Cola şişesiyle birlikte doğmamıştı. 1886'da Atlanta kentinde Jacob's Pharmacy adlı bir eczanede John S. Pemberton adında bir kişi tarafından hazırlanmıştı. Bu başlangıç, yıllarca Coca-Cola'nın satılma yöntemini de belirledi. Sadece ilaç satış bölümü de olan drugstore mağazalarında, tezgahtan, bardak içinde servis ediliyordu. Coca-Cola içeceğinin özü olan o tatlı ve karamel renkli şurup, karbonatlı soğuk suyla karıştırılıyor ve bekletilmeden tüketiliyordu. Bugün

Coca-Cola hâlâ maçlarda, sinemalarda ve McDonald's gibi hızlı pişmiş gıda satan yerlerde ve dünyadaki binlerce satış noktasında musluktan doldurulan ve kağıt ya da plastik bardaklarda açık satılan bir içecek. Ancak çok daha fazla miktarda Coca-Cola artık süpermarketlerde ve diğer perakende satış noktalarında şişeler ve teneke kutularda satılıyor.

Pemberton 1888 yılında öldükten sonra genç Coca-Cola şirketini Asa Candler satın aldı Candler de işi ABD'nin güneyinde büyütürken, sadece eczanelerde satış yöntemini değiştirmedi. 19. yüzyılın sonlarında meşrubat şişeleme, ilkel ve arada sırada meydana gelen patlamalar nedeniyle de tehlikeli bir işti. Belli ki bu işin Atlanta'daki ilk kurucuları, açık satış yapılan noktalardan başka alanlara açılmakta bir gelecek görmüyorlardı. (Niye riske girelim? Bkz. Birinci Emir)

Ancak Benjamin Thomas ve Joseph Whitehead adlı Chattanooga'lı iki genç ve gözüpek avukat, 1899 yılında Candler'a gidip, bütün riskleri kendileri üstlenmek üzere, meşrubatı şişelemeyi teklif ettiler. Şişelemede bir gelecek görülmediği için Candler razı oldu ve şişeleme haklarını adeta bedavaya verdi. Thomas ve Whitehead Coca-Cola'yı süresiz olarak şişeleme hakkını, bir dolarcık bedelle satın aldılar. Tabii ki Candler şurubun formülünü vermeyecekti ve olur da bu saçma sapan plan tutarsa, şurubu şişelemeyi yapanlara satarak yine para kazanacaktı.

Şişe işi tuttu. 1905 yılına gelindiğinde ABD'de yüzden fazla şişeleme tesisi kurulmuştu ve Coca-Cola her yerde şişede satılıyordu. Özelikle sıcak yaz aylarında o zamanın küçük bakkalları dışarıya koyup buz ve soğuk suyla doldurdukları çinko leğenler içinde, arasında Coca-Cola'nın da olduğu

39

çeşit çeşit şişelenmiş meşrubat satarlardı. Kök birası, zencefilli gazozlar, portakallı içecekler ve vanilyalı sodalar hepsi bir arada, iki yüz elli mililitrelik tek tip şişelerde satılırdı. Elinizi leğene soktuğunuzda hangi meşrubatın geleceğini bilemezdiniz. Bir de etiketi ıslanıp düşmüşse, bilinmezlik iki katına çıkardı.

Şişeleyicilerin de teşvikiyle, meşrubatı şişede satmanın potansiyelini fark etmeye başlayan Coca-Cola Company, Root Glass Company adlı cam üreticisine, Coca-Cola'nın markasını taşıyacak farklı biçimde bir şişe tasarımı sipariş etti. İnsanların "hissedebileceği", buzlu su dolu leğende eline değince tanıyabileceği bir şişe istiyorlardı.

Root, yeşil camdan, benzersiz biçimde, görülmemiş bir şişe tasarladı. Ortası şişman ve iki yanı içeri çökük, sanki ters bir kum saati gibiydi. Yeni şişe hem şişeleyiciler hem de tüketiciler tarafından çok beğenildi. Ve böylece, pek çok kişinin zihninde ürünün kendisiyle ayrılmaz bir bütün haline geldi.

Dediğim gibi, zaten sorun da buydu.

Robert Woodruff'ın Coca-Cola Şirketi adına tüm dünyada agresif bir büyüme atılımı sürdürdüğü sırada, 200 mililitrelik yeşil şişe öylesine benimsenmişti ki, ne Woodruff ne de başkaları farklı ambalajlama olanaklarını görmüyorlardı bile. Onların gözünde şişesi ve Coca-Cola bir yumurta gibiydi. Kabuğu ve içeriği tek, ayrılmaz ve birdi ve birlikte Coca-Cola markasını taşıyorlardı.

Bu sırada Pepsi-Cola'da çalışan Walter Mack adlı dahi bir pazarlamacı, parlak bir sloganla ortaya çıktı: "Hem beş sente, hem iki katı". Pepsi-Cola'yı dört yüz mililitrelik şişelerde satmaya başlamışlardı. Slogan her yere yayılmıştı. Son derece akılda kalıcı olan reklam müziğiyle de durmadan radyolardan tekrarlanıyordu.

> *"Pepsi-Cola on ikiden vurur.*
> *Tam dört yüz mililitre, ne kadar çok.*
> *Beş sente iki katı.*
> *Pepsi-Cola'dır sizin içeceğiniz."*
> *Pepsi Reklam Müziği*

PEPSİ'NİN SATIŞLARI yükselmeye başlamıştı. Fakat Coca-Cola Şirketi kılını kıpırdatmıyordu. Öyle ki, şirket içi iletişimde Pepsi-Cola'nın adı bile anılamazdı. Sadece "taklitçi" denirdi.

Taklitçinin beş sente sattığı iki kat içecek giderek daha çok Amerikalı tüketici tarafından tercih ediliyordu çünkü savaştan sonra herkes artık buzdolabı alabiliyor ve evlerde daha çok içecek ikramı yapılıyordu. Pepsi'nin satışları 1947 ile 1954 arasında iki katına fırlarken Coca-Cola satışları ise yerinde sayıyordu. Elbette Coca-Cola'nın satışları hâlâ rakibinden hayli yüksekti ama aradaki fark giderek kapanıyordu ve en büyük rakiplerden biri bir üstünlük ele geçirmişti.

Fakat Coca-Cola'nın en üst yönetimi inadından vazgeçmiyordu. Başka bir ambalajı düşünmeyi bile reddediyorlardı. Üstelik, diye düşünüyorlardı, her şişeye iki kat ürün ve pahalı şekerden iki kat koyarak Pepsi nasılsa yakında iflas edecekti.

Pepsi hiç de iflas etmedi.

Sonunda, 1955 yılında hızla düşen süpermarket satışları karşısında, Coca-Cola Company'nin katı inadı kırıldı. 300

mililitrelik "King Size", 400 mililitre ve beş yüz mililitrelik Aile Boyu olmak üzere üç yeni boy ürün piyasaya çıkarıldı. Coca-Cola'nın şişeleyicileri de inatçıydılar.

1947 yılında ben ABD işletmesinin başkanıyken, şişeleyicilerin bizimle yaptıkları anlaşmalarda değişiklik yapmamız, herkesin geleceği için kritik önem taşır hale gelmişti. Bu onların da çıkarınaydı ama bazıları bunu böyle görmüyorlardı. Geçmişe takılıp kalmışlardı ve oldukları yerden kıpırdamıyorlardı. Şişeleme sistemimiz başarılı ancak çağdışıydı. İlk şişeleme faaliyet bölgeleri 19. yüzyılın sonlarında ve 20. yüzyılın başlarında çizilmişti ve bir günde at arabasıyla ne kadar mesafeye gidilip dönülebileceği esasına göre belirlenmişti. Bölgesel bütünlüğün korunması esası geçerliydi ancak büyük market zincirlerinin faaliyetleri birden çok şişeleyicinin alanına giriyordu ve ortak fiyat belirlemek giderek güçleşiyordu. 1960'ların sonunda şirketin büyük market zincirlerine hizmet verebilme olanağı son derece sınırlı hale gelmişti. Fakat birçok şişeleyici ne satmak, ne yer değiştirmek ne de birleşmek istiyordu. Üstelik ellerinde geçerliliği süresiz olan sözleşmeler vardı. Şişeleme şirketleri esneklik göstermemekle, farkında olmadan kendi can damarları olan sistemi gittikçe zayıflatıyorlardı. Coca-Cola Şirketi'nin ABD'de faaliyetini sürdürebilmesi için fiyatları yükseltmesi gerekiyordu ancak şişeleyicilerle aramızdaki sözleşmeler buna engeldi. Dahası, şişeleyici bölgelerinin, zincir market müşterilerimizin ihtiyaçlarıyla uyumlu olması gerekliydi. Coca-Cola Şirketi bütün şişeleyicilerle yeniden müzakereye oturmak zorundaydı. O zamanki başkan Luke Smith'in döneminde bu süreci başlattık.

Luke Smith ve ben her şişeleme şirketi sahibiyle tek tek konuştuk. Çoğu değişim fikrine olumlu yaklaşmıyordu. Şirket içi efsanelerden birine göre, bir şişeleyicinin ölmeden önce çocuğuna son sözü, "Sözleşmeyle oynamalarına izin verme," olurdu. Bizim yaptığımız ise aynen sözleşmeyle oynamaktı. Zamanla şişelemecilerin çoğu, değişiklik yapmazsak, bunun şirket olarak topluca intiharımız olacağını anladılar. Dünyanın en çok tanınan ürünü olan Coca-Cola tehlike altındaydı ve onu kurtarmak için hep birlikte çaba göstermeliydik. Öyle de yaptık.

Çevrenizdeki koşullar değiştikçe siz sakın esneklik göstermeyin. Eskisi gibi devam edin. Direnin. Başarısız olacaksınız.

> *"İnsanın trajedisi işte budur–koşullar değişir ama insan değişmez."*
> –Machiavelli

ZAMANINDA YENİLİKLERE öncülük etmiş şirketlerde görülen aşırı dik kafalılık örnekleri öylesine çoktur ki saymakla bitmez. Yüksek teknoloji şirketlerinde üst düzey görevlerdeki insanların, şirket yavaş yavaş ölüme doğru giderken, hallerinden memnun ve birbirlerine her şeyin yolunda gittiği güvencesini vererek, umursamaz bir rahatlıkla oturduklarını çok gördük.

1970'lerden 1980'lerin ortalarına kadar IMB World

43

Trade Americas biriminde danışma kurulu üyesiydim ve IBM'de her şey harikaydı. Satışta, kârlılıkta, patent alımında –yani nereden bakarsınız bakın, sektörü belirleyen IBM'di. Fortune 500 listesinin başındalardı. Yöneticileri maaşlı uzun izinlere ayrılabiliyorlardı. Gelecek, IMB'in ana bilgisayarındaydı. Eskiden de böyleydi, bundan sonra da her zaman böyle olacaktı. Uzun bir süre bu düşüncelerinde haklı çıktılar. 1980 yılında, 1995'te gelirlerinin 250 milyar doları aşacağını tahmin ediyorlardı. Öyle ki 1984'te IBM'in vergi sonrası kârı o güne kadar hiçbir şirkette görülmemiş düzeye, yaklaşık 6.6 milyar dolara çıktı. Dokuz yıl sonra ise Ocak 1993'te IMB, tarihin en büyük şirket zararını açıklıyordu; yaklaşık 8 milyar dolar.

Olay, IBM'in gittiği yola körü körüne bağlanmasından ibaretti. Bilgisayar dünyasında neler olduğunu iyi biliyorlardı ve 1981'de başarılı bir PC geliştirmişlerdi. Ama asıl güvendikleri ürünleri değildi. Yöneticiler tüm dünyadaki PC satışlarının 1987 yılında 250,000 adete yaklaşacağı yolundaki şirket tahminine inanmışlardı. Nitekim 1985'e gelindiğinde bir milyondan fazla PC satılmıştı. IMB yöneticilerinin anlamadığı ya da anlamayı reddettikleri nokta PC pazarlamanın, şirkete dünyada üstünlük sağlayan ağır topları olan büyük ana bilgisayarları satmak ve satış sonrası hizmetleri vermekten tamamen farklı bir şey olduğuydu. Sonuna kadar savaşmaya her zaman hazır generaller ve amiraller gibi, IBM yöneticileri de, bu ana bakış açısına yürekten bağlı kaldılar.

1980'lerde, Coca-Cola işyerlerinde giderek daha çok PC görmeye başladığımı ara sıra belirttiğimde herkes kibarca gülümser ama önemsemezdi. Sanki IBM bir nehrin kenarında duruyordu. Nehir kıyısında ne kadar uzun dururursanız durun, aynı nehri iki kez göremezsiniz çünkü sürekli hareket halindedir. Geçmiş, aşağı doğru akan nehirdir; gelecek ise belki de fırsatlar ve tehlikeler getirecek olan yukarı akımdadır. Gerçek şuydu ki, IBM yöneticileri, sadece akıp giden nehre bakıyorlar ve o güzelim, kârlı ana bilgisayarların tüm dünyaya yayılmasını mutlulukla izliyorlardı ve gözleri başka bir şey görmüyordu.

Bu küçük şirket öyküsünün son perdesinde IMB'in PC'si olan ThinkPad, Çin'deki dizüstü bilgisayar fabrikalarında Lenovo markasıyla üretilmeye başlandı. Bu hazin bir öykü çünkü IMB son derece büyük bir avantajla başlamıştı. Şirket elbette daha sonra toparlandı ama kolay olmadı.

Göreceli olarak yeni ve gelişmekte olan bilgisayar sanayiinde pek çok şirket, yenilikçi bir yaratıcılık temelinde kuruldukları halde, şaşırtıcı bir hızla, esneklik tanımayan bir tavır içine girmiştir ama bunlar IBM kadar şanslı olamadılar. Hiçbiri ayakta kalamadı.

Digital Equipment Corporation, birçok okuyucunun anımsayacağı efsanevi bir isimdir, daha doğrusu idi. 1958 yılında MIT mezunu iki parlak mühendis olan Ken Olsen ve Harlan Anderson tarafından kurulan DEC, 1980'lerde doruğuna ulaşmıştı ve yüz bine yakın çalışanı ve övünç duyulacak teknolojik deha birikimiyle dünyanın ikinci büyük bilgisayar şirketi olmuştu. DEC İnternet'e ilk bağlanan şirketlerden biri oldu ve kapsamlı arama motorlarının ilklerinden olan AltaVista'yı yarattı. E-postanın piyasa değeri daha hiç bilinmezken, onlar şirket içinde e-posta kurmuşlardı. Araştırma merkezlerinde MP3 tarzı bir kişisel müzik çalar üzerinde

45

çalışma yapılıyordu. Özetle pek çok alanda çağın ilerisindeydiler. Şirketin çökmesine yol açan neden, izledikleri yolun tek doğru yaklaşım olduğuna inanmalarıydı. Yaptıkları her şey "DEC-merkezli" ve kendilerine özgüydü. Bütün dehalarına rağmen DEC'in kurucuları bilgisayar sektörünün daha geniş tabanlı yapısına uymayı reddettiler. Şirket parça parça satıldı. Son parçası da 1998'de gitti ama duyduğuma göre DEC logosu Hindistan'da bir bilişim şirketi tarafından bir süre daha kullanılmış.

Katılık, felce yol açan bir hastalıktır.

Bu hastalığın en iyi örneğini, Amerikan kültürünü gerçek anlamda değiştiren ve çok parlak bir kişi olan Henry Ford'un davranışlarında görmek mümkündür. Ford ne otomobili ne de seri üretimi icat ettiği için ülkenin en zengini oldu. Her ne kadar yaşamını birincisini üretip ikincisini geliştirmekle geçirdiyse de, Henry Ford'u dahi yapan şey, kitle pazarlaması alanındaki içgüdüsel duyusuydu. Eğer maliyeti düşürebilirse, otomobili zenginlerin oyuncağı olmaktan çıkarıp, kitlelerin ulaşım aracına dönüştürebileceğini o dönemde herkesten iyi görmüştü. Bunu başarabilmek için iki riske girdi... Önce satış hacmini yükseltmek için araç başına kârı sürekli düşürdü. İkinci olarak, otomobil seri üretiminde çalışan bir işçinin ortalama günlük ücreti 2,5 doların altındayken, 1914 yılında işçilerine günde beş dolar gibi duyulmamış bir ücret ödeyeceğini ilan etti.

Günümüz iş hayatı jargonunda, bir ürünü hem üreten hem de tüketen müşteri anlamına gelen "prosumer" diye bir terim var. Ford bu kavramı neredeyse yüz yıl önceden gördü ve uyguladı. Bir anda günlük ücretleri 5 dolara çıkararak işçilerine kendi ürettikleri malı satın almalarına yetecek para vermiş oluyordu ve daha da önemlisi, sadakatsizlikte kötü şöhreti olan bir işçi kesiminin bağlılığını kazanmıştı. O dönemdeki otomobil sanayiinde yaygın ve kabul edilen fikir, yüksek oranda işçi değişiminin kaçınılmaz olduğu yönündeydi. Ford bu görüşün yanlışlığını kanıtlamış oldu.

Buna rağmen bu ileri görüşlü dahi, birkaç yıl içinde öylesine inatçı ve esneklikten uzak bir hale geldi ki, neredeyse şirketi batırıyordu.

Söylendiğine göre Ford, Model T otomobil için şöyle demiş: "Siyah olduğu sürece istedikleri renk alabilirler." Uzun süre bu durum bir sakınca doğurmadı. Ancak halk giderek "teneke lizzie" adını taktıkları siyah Model T'den sıkılmaya başladı. Amerika'nın daha büyük, daha hızlı, daha şık parlak renkli otomobiller dönemine baş döndürücü bir hızla girdiği 1920'lerde Henry Ford hâlâ 1908'den beri temelde hep aynı kalmış Model T'nin Amerika'nın istediği ve ihtiyaç duyduğu şey olduğunda ısrar ediyordu ve fikrini değiştirmiyordu.

Chevrolet ve Dodge gibi piyasaya yeni giren üreticiler, kaçınılmaz olarak Ford'un pazarını daraltmaya başladılar ve sahip olduğu üstün liderlik konumuna ciddi bir meydan okuma başlattılar. Sonunda daha mantıklı kafalar üstün geldi de Ford, artık daha iyi bir araç üretmenin gerekli olduğunu kabul etti. Ana fabrikasını altı ay süreyle kapattı ve ardından 1928 yılında Model A'yı başarıyla piyasaya sürdü. Ne var ki Ford'un esnemez inadı, şirketi felaketin eşiğine getirmişti ve şirket, o zaman kaybettiği rekabet üstünlüğünü bir daha asla kazanamadı.

Daha yakın tarihte, 1980'ler ve 1990'larda, gelişmekte olan ülke pazarlarında liderliği kapmış olan Toyota, az yakıtla çok kilometre yapan başarılı hibrid otomobilleri üretmeye başlamışken, GM ve Ford, hâlâ büyük, yüksek benzin tüketimli spor tarzda aile araçlarına güveniyordu. Toyota'nın Kuzey Amerika eski başkanı Jim Press şöyle demişti: "İkimizin de elinde aynı bilinmezler ve aynı araştırmalar vardı. Yakıt bollaşacak mı, azalacak mı? Hava daha mı temiz olacak, daha mı kirlenecek? Toplumun gittiği yönle uyumlu olacak proaktif ve yenilikçi bir şey yapıyor muyuz, yapmıyor muyuz? Yoksa toplumu bulunduğu yerde tutup, acı son gelene kadar kıpırdamasına izin vermeyecek miyiz?"*

Şüphesiz ki başarısız olan her şirketin, her sanayi kuruluşunun farklı bir öyküsü vardır. Bazıları diğerlerinden daha basittir. 20. yüzyılın başlarına dönüp baktığımızda görürüz ki buz üreticisi şirketler kendilerine başka bir iş bulmak zorundaydılar çünkü ne kadar direnirlerse dirensinler, yerlerini elektrikli soğutma alacaktı. Bu kadar aşikar olmayan bir başka örnekse, 3 binden fazla bisiklet şirketinin büyük bölümü yok olurken, bazılarının otomobil sektörüne uyacak değişimi göstermesi ve hatta Wright Kardeşler'in kanıtladığı gibi, uçak gövdesi imalatına kaymasıdır. Belli ki kimi insanlar diğerlerinden daha esnek olabiliyor.

Buna karşılık, kendi alanında bir zamanlar öncü olan bir şirket vardı ki, onun hayata veda etmesinin ardındaki ne-

---

* Cinayet, Açlık ve Felaket" başlıklı konuşmasında, Georgia Teknololji Üniversitesi bilgisayar fakültesi dekanı Richard Demillo tarafından aktarılmıştır. 28 Şubat 2007.

den apaçık ortadadır. Montgomery Ward, katalogdan satış yöntemini bulan adamdı. Ve şirket, bir kişinin esneklik göstermemesi yüzünden battı.

Montgomery Ward şirketinin sonunu, tavizsiz ve katı avukat Sewell Avery getirdi. Avery Büyük Buhran sırasında başkaları büyürken, şirketi ciddi ölçüde daraltarak kurtarmıştı. Sorun, Avery'nin Buhran dönemindeki fikirlerini ömür boyu değiştirmemesiydi. Ona "Mutsuz Sewell" adını takmışlardı. Takvimi hep 1929'u gösterirdi. Ona göre mutlaka birkaç güne kadar bir kriz patlayacaktı.

İkinci Dünya Savaşı'ndan sonra Levittown gibi yeni kurulan yerleşimlere taşınan aileler çoğaldıkça, Avery yeni doğan refahı göremiyordu. Hatta görmeyi reddediyordu. 1950'lerin ortalarında artık gençlerin haftalık harçlıkları, 1940'lardaki bir Amerikan ailesinin toplam harcanabilir gelirini geçmişti. Ülke zengindi ve daha da zenginleşiyordu. Fakat Avery öyle katıydı ki, her yanı saran savaş sonrası ekonomik büyümeyi kabullenmiyordu. Şirketi ne büyütüyordu, ne de yatırım yapıyordu. Sonuçta savaştan sonraki on yıl içinde Ward'ın rakibi Sears, satışlarını iki katına çıkarırken, Ward'ın satışları yüzde on düşmüştü.

Artık Montgomery Ward diye bir şirket yok. Ve Bay Avery, büyük bir ekonomik çöküntünün her an gelmek üzere olduğunda ısrar ederek göçtü gitti. Sadece kendi inandıklarına inanıyordu ve onu tersine ikna etmek imkansızdı. Hatta, ona gerçekleri göstermeye çalışanları gözünü kırpmadan işten attığı da bilinir.

Düpedüz katı bir aptallığın bir başka örneği ise Republic Steel öyküsüdür. 1960'lı yıllarda Republic Steel'in büyük müşterilerinden biri konserve sanayiiydi ve bu sektör daha hafif ve nakliyesi daha ucuz alüminyuma yönelmeye başlamıştı. Republic gayet zengin ve başarılıydı. Kendiliklerinden alüminyum işine girmeleri en mantıklısı olurdu ve o zaman sahip oldukları bol nakit rezervlerini kullanarak, faal bir alüminyum şirketini rahatlıkla satın alabilirlerdi. Buna karşılık Republic'in üst yöneticileri öyle katıydılar ki, çelik konserve kutularından vazgeçmeyeceklerini herkese duyurdular. Öyle ki alüminyumdan "zayıf metal" diye söz ediyorlardı ve kendilerinin yer aldığı konserve ambalajı piyasasına girmesini engellemek için var güçleriyle çabalıyorlardı. Sonunda sahip oldukları her şeyi kaybettiler. Republic Steel artık yoktu.

Büsbütün cahil bir inada örnek olarak, benim WOW-TV'deki ilkel talk show'umu beceriksizce yürüttüğüm, televizyonun o ilk yıllarında Hollywood'un televizyona karşı aldığı tavra bakalım. Büyük ve zengin Hollywood yeni doğan bebeği nasıl mı karşıladı? Sadece aşağılayarak. Şöyle bir espri vardı: "Vodvil öldü, televizyon da onu içine koydukları küçük kutu."

Büyük stüdyolar televizyon denilen bu saçmalığa bulaşmak istemiyorlardı. Bu oyuncakla ancak Milton Berle gibi komedyen eskileri oynar diye düşünüyorlardı. Onlara göre gelecek büyük ekranda ve sinema filmlerindeydi ve her zaman da öyle olacaktı. Hollywood'un ağır topları televizyon ve televizyoncularla alay ediyorlardı ve Newton Minow'un televizyon için "uçsuz bucaksız çoraklık" demesi çok hoşlarına gitmişti. Bu yeni yayın ortamının bir şekilde kendiliğinden yok olacağını umarak ona sırt döndüler. Belli ki Amerikan halkından başka kimse televizyondan hoşlanmıyordu. Elbette sonunda stüdyolar da televizyonu kabullenmek zorunda kaldılar ancak başlangıçtaki o katı tavırları bazen aynı stüdyo içinde, "filmciler" ile "televizyoncular" arasında gereksiz sürtüşmelere neden oldu. Tabii ziyan olan fırsatları hatırlatmaya bile gerek yok. Televizyonun gelişmesinde oynayabilecekleri teşvik edici rolü benimsemek yerine büyük stüdyoların yapabildikleri en büyük kötülük engelleyici olmaları, en büyük iyilikleri ise hiç değilse gelişmelere uzak kalmaları oldu. Katılığın en tuhaf örneklerinden biri de havayolu endüstrisinin bütündür. 1930'lu ve 1940'lı yıllarda önemli kişileri birkaç saatte Amerika'nın bir kıyısından ötekine uçuruveren pırıl pırıl yolcu uçakları, çağdaş ulaşım çağını en iyi temsil eden teknoloji harikasıydı. Heyecan verici ve yepyeni bir seyahat biçimi olduğu gibi, pazarlaması da çok yaratıcıydı. Pan Am yöneticisi Juan Trippe, "turist sınıfı" bilet çıkartmıştı. Artık uçak yolculuğu sadece göz kamaştırıcı Hollywood yıldızlarına ve Wall Street patronlarına has değildi. Toplu taşımanın kanatlısı başlamıştı.

Ancak bu cesur başlangıçtan sonra yıllarca sektör cansız kaldı. Daha büyük ve daha hızlı uçaklar yapıldı ama havayolu taşımacılığında yeniliklerin hızı neredeyse durma noktasına geldi. Devlet düzenlemeleri sayesinde serbest piyasanın oynaklığından yıllarca korunmuş olan yöneticiler, girişimci iş adamları olmayı unuttular. Sürekli artan zararlar karşısında bile iş yöntemleri hâlâ son derece katıydı. Hep aynı yöntemleri tekrarlayarak hep aynı kötü sonuçları alıyorlar, iflasın eşiğine gidip geliyorlar ve durmadan.daha iyi ve etkin yönetim sözleri veriyorlardı. Gerçekte sektörün içinden bazıları, havayollarının iflas etmeleri halinde bile faal kalmalarına izin veren kolaylıkları bu durumdan sorumlu tutuyorlardı. Havayolu işletmeciliği kamu yararı ve özel çıkarların iç içe geçtiği, gerçekten çok karmaşık bir sektördür. Benim gördüğüm kadarıyla, havayolları yöneticilerinin tek yaptıkları, giderleri kısmak için çalışanlardan gönüllü olarak ücret kesintilerine razı olmalarını istemekti. (Benim deneyimlerime göre stratejik değişiklikler yapılmadıkça, şu gerçek değişmez: Maliyetleri düşürerek kâra geçmek mümkün değildir.)

Derken, yenilikçi ve gösterişli bir iş adamı olan Herb Kelleher çıkageldi. Kurduğu havayolu şirketi ile eski havayolları arasındaki tek benzerlik uçakla yolcu taşımaktı. Kelleher bunun dışındaki hemen her şeyi değiştirdi. Bir kere filosundaki uçakların hepsi 737 tipiydi, dolayısıyla uçakların bakımı hem basitleşmişti hem de düzene girmişti. Uçuş rotalarının düzenlenmesini ve koltuk dağılımını değiştirdi. Fiyatlama kurallarını da değiştirdi, hatta farklı yapıda müşterileri çekmeye çalıştı. Sonuç mu? Southwest Airlines, bazı yatırımcıların açıkça umut kestiği bir sektörde kâra geçti. (Bu satırları yazarken Southwest'in günümüzde sürekli artan yakıt maliyetleri ve bunun gerektirdiği maliyet düşürücü önlemler karşısında kârlılığını sürdürüp sürdüremeyeceği henüz belli değildi.)

Demek ki, başarısız olmak istiyorsanız, katı olacaksınız. Ancak bir şeyi iyice açıklamak isterim: Esneklik kendi başına bir erdem değildir. Korkakların zor kararlar almaktan kaçınmak için arkasına saklanacakları bir kalkan da değildir. Esneklik ve uyum yeteneği basit yöneticilik ve işletme becerileriyle teknik yeterliliğin ötesine geçen, temel bir liderlik vasfıdır. Benim inancıma göre esneklik, durumları inceleyip, değişen koşullara hızla adapte olmak için gereken sürekli ve derin bir düşünsel süreçtir. Özünde Darwin'in, en güçlü olanın hayatta kalacağını öngören evrim teorisinin anahtarıdır. Esneklik. Uyum.

> *"Fikirlerini asla değiştirmeyen bir insan*
> *durgun su gibidir ve zihninde sürüngenler üretir."*
>
> –William Blake

İTİRAF EDEYİM Kİ kuşaklar boyu değişime başarıyla direnmiş bazı kurumlar da vardır. Bizimle çalıştığı zamanlarda Bing Crosby ile konuşurduk. Kuşkusuz kendi döneminin en çok sevilen ve başarılı sanatçılarından biriydi. Crosby, Minute Maid şirketinin hisselerinden almıştı. Coca-Cola Minute Maid'i satın aldıktan sonra 1960'ların sonunda, Bing Crosby'yi bir-iki reklamda yer almaya ikna etmiştik. Golf tutkunu olan Bing, Robert Woodruff'ın uzun yıllardır Augusta National Golf Club ile olan ilişkisi sayesinde, kendisinin de bu kulübe üye olup olamayacağını sormuştu.

Woodruff'a Augusta National'ın hükümdarından şu yanıt geldi: "Oyuncuları almıyoruz!"

Ne var ki şirketler bu tür kişisel huylar yüzünden değişime karşı direnmeyi kaldıramazlar ve eminim ki en uzlaşmaz şirket liderleri bile asla katı olduklarını kabul etmezler. Büyük olasılıkla, değişim felsefesini sözde övücü laflar eder ve değişimi nasıl desteklediklerini ve benimsediklerini gösterecek basmakalıp birkaç söz söylerler. Ancak şu da var ki, statükonun konforlu alışılmışlığına kapılmak gayet kolaydır. Neden mi? Çünkü değişimin her türlüsü zordur. Kendi yaşamlarınızı düşünün. Başka bir kente taşınmak ne kadar güç gelebilir.

Fakat iş hayatında katılığa daha büyük katkı yapan bir nedeni bundan sonraki bölümde anlatacağım. Bu aynı zamanda esnekliği reddeden katılığın belirtisidir.

Üçüncü Emir

Kendinizi Uzaklaştırın

Bu iş çok hoştur. Ve çok da kolaydır. Kendinize ait bir yönetici balonu yaratmak için gereken sadece birkaç şey vardır. Önce ortamınızdan başlayın ve kendinize bir balon inşa edin. Fiziksel olarak erişilmez bir kale, dışarıdaki ayak takımını sizden uzak tutacak en iyi yoldur. Bu nedenle herkesten en uzak olan yönetim katı hangisiyse, oranın en uzak köşesinde kendinize kocaman bir büro seçin ve kapınızı kapatın.

Şirket merkezinde kendine özgü bir Taj Mahal kuran değişik bir CEO'yu anlatmışlardı bana. Diğer yöneticiler de aynı katı paylaşıyormuş fakat katın bir yanı tamamen kendine ayrılmış ve CEO oraya kapanmış. Dairesi, özel ve kalın cam kapılarla korunuyormuş. Bu kapıların açıldığı bekleme odasında, sekreterinin oturduğu yüksek kürsünün arkasında çift kanatlı bir başka kapı daha varmış. Bu kapıların ardında ise, CEO'nun asıl çalışma odası varmış. Çarpıcı Brezilya tablolarının asılı olduğu, fonda New Age müziği çalan ve kokulu mumların yandığı tuhaf bir yermiş. Bir duvarı da boydan boya televizyon monitörleriyle kaplıymış. CEO'nun kendi egosu için yaptırdığı bu mihrabının, kötü haber vermek üzere taşradan merkeze gelen bir orta kademe yönetici üzerinde yapacağı o stres etkisini bir düşünün. CEO'dan gelecek bir tek bakışla, ağzını açıp tek kelime etme imkanı ortadan kalkacaktır.

Korunmanız sağlandıktan sonra, sizin gibi kendi balonları olan insanları ziyaret etmek dışında hiçbir nedenle buradan çıkmayın. Hele hele, kendi telefonunuzu hiç açmayın. Asla. Fotokopi makinesinin yerini asla öğrenmeyin. Hepsinden önemlisi, yönetim katında dolaşıp insanlarla konuşmayın. Ben değişik katlarda dolanır, çalışanların ofislerine girip kendimi tanıtırdım. İşlerin nasıl gittiğini, neler yaptıklarını ve neyi daha iyi yapabileceğimizi sorardım.

Tabii kendinizi uzaklaştırmak istiyorsanız asla böyle davranmayın. Tamamen zaman kaybıdır. İnsanlar bilmek istemeyeceğiniz gündelik ayrıntılarla canınızı sıkacaklardır. Örneğin isimleriyle. Personelinizin isimlerini öğrenmenize hiç gerek yoktur. Bakarsınız işten ayrılabilirler, o zaman o kadar çabanız boşa gider. (Bir zamanlar, hizmetkarlarının adlarını öğrenmeye asla tenezzül etmeyen tuhaf huylu, üst sınıftan bir İngiliz hanımın öyküsünü okumuştum. Her yeni gelen kahyaya sadece "Kahya" dermiş. Böylece hizmetçiler "Hizmetçi", bahçıvan da "Bahçıvan" olurmuş. (O hanımdan harika bir kendini soyutlamış CEO olurdu.)

Kendilerini herkesten uzak tutmak isteyenler için çok acıdır ama, başarılı şirketler tarihi, bu tavrın tam tersini gösterir. Öyle ki, iş dünyasının efsane olmuş kurucularının pek çoğunda bulunan bir özellik, her düzeydeki çalışanlarını tanıma ve onlarla iletişim kurmada olağanüstü bir yetenek sahibi olmalarıdır.

Rivayet edilir ki, 1960'lı ve 1970'li yıllarda Cessna uçak şirketini kuran Dwayne Wallace, Wichita'daki fabrikasının montaj hattı boyunca dolaşırken, 3 bine yakın işçisinin hepsinin adını ve ailelerini bilirmiş. Kuşkusuz bu bire bir ve kişisel yaklaşım günümüzün küresel boyuttaki işletmelerinde mümkün olmayabilir ama o kadar da büyük olmayan bir genel merkezin çalışanlarıyla pekala gerçekleştirilebilir. Ama sizin istediğiniz kendinizi herkesten uzak tutmaksa, bunu unutun gitsin.

Eğer bu kadar soyutlanma size az geliyorsa, o zaman özel bir yemek şirketiyle anlaşın ve şimdi vereceğim sıkı yalnızlık diyetini uygulayın.

Öğle yemeğinizi daima yönetici yemek salonunda en yakın çalışanlarınızdan birkaçıyla birlikte yiyin. Ukala ve uzaklık yanlısı bir CEO, benim bu diyetimi harfi harfine uygulamıştı. Dışarıdan ısmarlama gelen yemeğini, mutlaka her gün genel merkez binasının en üst katında, en kıdemli yöneticileriyle birlikte yermiş. Şirketin alt katlarında ve hissedarlar arasında kaynamaya başlayan hoşnutsuzluğun, CEO'muzun yemek keyfini bozmasına da izin verilmezmiş. Hakkını yemeyelim, bu CEO kendi döneminde gelirleri artırmayı başardı ama uyguladığı yönetim tarzı uzun dönemde çalışanları, müşterileri ve hissedarları soğutarak yarardan çok zarar verdi. Her gün birlikte yemek yediği üst düzey yöneticiler, başarmak istediği şeye yürekten inanmış olsalar bile, sonuçta bu kadar küçük bir mutlu çalışan kadrosuyla işlerin yürümeyeceği ortadadır.

Buyurgan bir tavır genellikle tersine teper. Bir şirketi

yönetenlerin çalışanlarla nasıl iletişim kurdukları çok önemlidir. Uzak durmak insanı yabancılaştırır, dedikodulara ve zamanla başkaldırmaya yol açar. Ama başarısızlık istiyorsanız, bu stratejiyle sonuç alırsınız.

Daha ileri derecede yalnızlık istiyorsanız, çevrenizi sizin ne kadar harika olduğunuzu düşünen danışmanlar ve personelle doldurun. Onların tek işi budur!

Herhangi bir şeyin gerçeğini öğrenmeniz zor olacaktır çünkü her biri kendine göre bir gerçeği size aktarmak isteyecek idarecilerin oluşturduğu katmanların arasından yolunuzu bulmak zorunda kalacaksınız. O nedenle bu sürece hiç bulaşmayın, daha iyi. Piyasanın içine hiç girmeyin. İstediğiniz bilgiyi, güvendiğiniz elemanlarınızdan ve tercihen özet olarak edinin. Onların işi size duymak istediklerinizi söylemek ve kafanızı yormanız gerekmeyen şeyleri ayıklamaktır. Aynaya baktığınızda mükemmel olmadığınızı düşünebilirsiniz ya da evde size ölümsüz olmadığınızı hatırlatmak gibi sinir bozucu huyu olan bir eşiniz olabilir ama bunu işteki insanlardan da duymak zorunda mısınız? Tabii ki hayır. Hepsini uzak tutun kendinizden.

Sindirdiğiniz yönetim kurulu üyeleri, sizin yalnızlığınızı pekiştirmenize yardımcı olacakları gibi, maaşınızı da artıracaklardır. Her ne kadar yönetim kurulu üyelerinin bağımsızlığına dair ciddi kurallar varsa da–artık o kurallar neyse–kurul üyelerine neden size minnettar olmaları gerektiğini hatırlatmak zor değildir. Korkuttuğunuz yönetim kurulu üyeleri ve teması kestiğiniz hissedarlar oldukça, maşınızla ilgili bir sorun çıkmaz ama sizi uyarmalıyım. Hissedarlar ve bazı devlet kurumları kendi maaşlarını performansa bağlayan en tepe yöneticileri daha dikkatle izliyorlar. Tanrım! Bu nasıl bir hata! Baştan ayağa başarısız olsanız bile, hatalarınız için cezalandırılmamalısınız. Hatta daha hiçbir işe elinizi sürmeden önce yapacağınız ilk şey, şirketin başına ne gelirse gelsin, size krallara layık bir tazminat ödeneceğini güvence altına almak olmalıdır. Sizi eleştiren veya ileride eleştirebilecek herkesi uzaklaştırın.

> *"Duymak istemediklerini*
> *duymak isteyen insan çok nadirdir."*
> –Dick Cavett

> *"Size sadık olanların, eylemlerinizi*
> *ve sözlerinizi övenleri değil,*
> *hatalarınızı kibarca ayıplayanların olduğunu bilin."*
> –Sokrates

ODANIZIN DIŞINA BİR YAZI ASIN:
PATRONU KIZDIRMA, BANA KÖTÜ HABER GETİRME

Adolf Hitler bunu oldukça iyi başarmıştır. Sekreteri Martin Bormann, Führer'e sadece iyi haberleri vermesi gerektiğini çabucak öğrenmişti. Aslına bakarsınız, bir miktar iyi haber ve bunları seve seve size taşıyacak kişiler her şirkette kolaylıkla bulunabilir. Özellikle de habercinin seçkin öğle yemeği grubuna girmesini sağlarsa. Diğer yandan kişisel deneyimlerime göre, paranoyak olmak fena sonuç vermez. Kötü haberler en üst düzeye bir an önce ulaştırılmalıdır ki, felaketi önleyebilecek önlemleri alabilesiniz.

General Motors'un en parlak döneminde yönetim kadrosunda olan büyük ve dahi mühendis Charles Kettering şöyle demişti: "Bana sorunlardan başka bir şey getirmeyin. Güzel haberler beni zayıf düşürüyor." Ben bu kadar ileri gider miydim bilmiyorum ama gerçek şu ki, bir kurumdaki ilerleme, tanımı itibariyle, bir sorunu çözme çabalarından kaynaklanıyor olmalıdır. Bu da tabii, sorunun çözümüne varmadan önce ne olduğunu bilmeniz gerektiği anlamına gelir. Bunun için çaba göstermek gerekir.

Dünyanın çeşitli yerlerindeki Coca-Cola işletmelerini ziyaret ettiğim zaman şirketin yerel yöneticileri genellikle beni havaalanında karşılarlar ve ilişkimizin en başarılı olduğu üç müşteriye götürürlerdi. Ancak ben listede olmayan dükkanları görmek isterdim ve bazen arabayı aniden durdurup bir satış noktasına dalardım. Aynı zamanda çalışanlarla oturup onlarla yüz yüze konuşabilmek isterdim. Onlara "Ben bunu düşünüyorum. Siz ne düşünüyorsunuz," diye sorardım. Sanırım aldığım yanıtlar genellikle dürüst yanıtlar olurdu çünkü aynı kaygıları sıklıkla başkalarından da duyardım.

İkinci Dünya Savaşı sırasında Winston Churchill'in, tek görevi kendine kötü haberleri getirmek olan özel bir birim kurmuş olmasından alınacak bir ders vardır. Churchill gerçeği neyse, allanıp pullanmadan duymak istiyordu; halbuki Hitler, çarpışmaların son zamanlarına kadar, savaşı kazanmakta olduğunu sanıyordu. Etkin bir önder olmak istiyorsanız, yalnızlığı kırmanın ve pek çok patrona cazip gelen o sığınak mantığından çıkmanın yollarını bulmalısınız.

> *"Bir çalışma masası,*
> *dünyayı izlemek için tehlikeli bir yerdir."*
> –John le Carré

BİR KORKU ORTAMI YARATIN. Pek kolaydır. Bu, işe alma ve işten atma yetkisi taşıyan her yüksek mevkinin özünde bulunur ve siz farkına bile varmadan oluşabilir. Hatırlıyorum, bir grup satış elemanını yönettiğim ilk işim Butternut Coffee'deydi. Bu elemanların belirli sürelerde bana gelip bilgi vermeleri ve bölgelerindeki durumu anlatmaları gerekiyordu. İçlerinde çok, ama çok iyi bir satış elemanı vardı. Görebileceğiniz en iyi satışçılardandı. Ama beni görmek için hiçbir zaman Omaha'ya gelmezdi. Hep bir bahanesi çıkardı. Hasta olmuştu, bir müşteriyle ilgili acil bir iş vardı, arabası bozulmuştu–yani hep bir şeyler olurdu.

Tesadüfen öğrendim ki, çok iyi çalışmasına rağmen benden korkuyormuş. Genel merkez binasına gelmek ve asansöre binip benim büroma gelmek bile onu ürkütüyordu.Ben onun olduğu yere gittim ve onu alarak Omaha'ya getirdim; böylece bu dinamiği değiştirmiş oldum. Ortada benden ya da genel merkez binasından korkması için bir neden olmadığını anlaması gerekiyordu. Bu kişinin daha sonra çok başarılı bir kariyeri oldu.

Bir kurumda bulunan yaratıcı bir gerilim ortamıyla, bir korku atmosferi arasında büyük fark vardır. Olumlu bir çalışma ortamı yaratmak zor bir iştir. Kurumun havasına ve ruhuna karşı duyarlılık gerektirir ama karşılığını alırsınız. Fortune dergisinin "Amerika'da Çalışılacak en İyi 100 Şirket" listesindeki kurumların, düzenli olarak hissedarlarına en yüksek kâr payı dağıtan şirketler de olmaları bir rastlantı değildir. Öte yandan bir korku ortamı yaratmak o kadar az çaba gerektirir ki, bence insan buna kolaylıkla kendini kaptırabilir. Bunu yapmak için hiçbir şeyi anlıyor olmanız gerekmez. Sadece bağırın ve öfke krizleri geçirin. Hata yapanları diğerlerinin önünde fırçalayın. Onları mahcup edin. Kabalaşın. İki yaşında bir çocuk gibi davranın. Ne yazık ki böyle davranan pek çok şirket yöneticisi vardır. Hatta altlarında çalışanlardan talep ettikleri insafsız şeylerden ve hizmetlilere kötü davranmaktan gurur bile duyarlar. Bence bu yöneticilerden bir teki bile bu hareketlerini haklı çıkaracak yaratıcılığa sahip değildir. İster moda dergisi editörü olsunlar, isterse sinema yönetmeni ya da zor durumdaki bir şirketi düze çıkartan parlak bir yönetici. Terbiyesizlik terbiyesizliktir ve mazur görülemez. Hepimizin sükunetimizi yitirdiğimiz, haksızlık yaptığımız zamanlar olmuştur fakat her seferinde kendimizden bir şeyler eksiltmişizdir. Gerçi böyle davranışların bazen kısa süreli bir başarı getireceğini, hatta insanın adının duyulmasını sağladığını da kabul etmek gerekir.

1990'ların başında medya, yeni parlayan kahramanları Al Dunlap'a övgüler yağdırmaktaydı. Dunlap'ın lakabı "Testere Al", kendine taktığı isim ise "Takım elbiseli Rambo" idi. Yönetici olarak bir ordu insanı işten attı ve masrafları kısabildiği kadar kıstı. Business Week dergisi Al'ın kendini Amerika'nın en iyi CEO'su olarak ilan ettiğini yazdı. İş dünyasını izleyen muhabirlerden pek çoğu da bunları kabul etmişe benziyordu. Tabii bütün bunlar Al'ın, Sunbeam adında gayet sağlam bir şirketi yerle bir etmesinden önceydi.

Kendinizi tamamıyla uzaklaştırmak istiyorsanız her konuda en öne kendinizi koyun. Eğer takdir edilecek bir iş yapılmışsa bütün övgüyü siz alın. Ortada bir suç varsa bir parçasını bile üstlenmeyin. Eğer kamuoyunun gözleri olumlu bir anlamda şirketinize çevrilmişse, hemen öne atılın ve çalışanlarınızı, iş ortaklarınızı ve size bir biçimde yardımcı olmuş kim varsa hepsini geriye itin. Şirketin bir başarısını bütünüyle kendinize mal ettikten sonra, olur da biraz suçluluk duyarsanız, en iyi çalışanlara Noel'de bir yılbaşı çiçeği ya da hindi göndererek kolayca bundan kurtulabilirsiniz. Üzerinde personelin ismi ve "Teşekkürler" yazısının altında da sizin imzanız kazınmış küçük kristal kağıt ağırlıkları da pek gönül alıcı olur.

Tüm ilgiyi kendi üzerinize çekmeniz, iş hayatında başarısız olmanın mutlak garantisi değildir ama başarıya ulaşmanızı çok zorlaştırarak, o aşırı yalnızlığı elde etmenize katkısı olacaktır.

Yakından tanıdığım ve birlikte çalıştığım çok başarılı insanlarda çok kez, kendilerini geri plana çeken, dikkat odağı olmaktan kaçınan bir özellik görmüşümdür. Warren Buffett'in hissedarlara gönderdiği yıllık mektupları okursanız, en çok bir-iki paragraf sonra parlak övgüleri ve başarının hakkını kendinden başkalarına verdiğini görürsünüz. Aynı biçimde, . Allen & Company'nin başkanı Herbert A. Allen da, şirketinin kamuoyunda adını duyurduğu her olumlu olayda, başkalarını yüceltmiştir. Bu iki insan da yalnızca işler sarpa sardığında ya da istendiği kadar iyi gitmediğinde ön plana çıkıp sorumluluğu üstlenirler.

Hayatınızın her alanında sadece sizinle aynı fikirde olanlarla konuşun; tercihen diğer CEO'larla. Konferanslarda ve yönetim kurulu toplantılarında, üye olduğunuz kulüplerde ve gittiğiniz partilerde zengin ve sizinle aynı kafada olanları bulun. Fikir, politik görüşler ve özellikle de maaş oranları gibi konularda akranlarınızı örnek alın. Ben ise tanıştığım insanların sayısını çoğaltmak için özellikle çaba göstermek zorunda kaldım. Bu göründüğü kadar kolay değildir.

Eğer kapınızda yüksek bir unvan yazıyorsa, sizinle aynı fikirde olmayanların sayısı hızla düşecektir. Bu nedenle UCLA basketbol takımının efsanevi antrenörü John Wooden'ın öyküsünü severim. Wooden sağlam ilkeleri olan, başarılı bir insandı. Ancak her yıl takımını NCAA turnuvasına sokmayı başarmış olsa da, 16'ncı sezonda da şampiyon olamamışlardı. 1963 yılında Wooden'ın dik kafalı yardımcı antrenörü Jerry Norman, Wooden'ın o güne dek yaptığı her şeyi sorgulamaya başladı. Bu günaha girmekten ve isyan çıkarmaktan farksızdı ama Norman nasıl yaptıysa Wooden'ı ikna edip oyunda yepyeni taktikler uygulamasını sağladı. Sonuçta UCLA 1964 yılı NCAA şampiyonluğunu kazandı ve sonraki 11 turnuvadan dokuzunda kupayı aldı. Wooden daha sonra şöyle demişti: "Hayatta ne yapıyorsanız, mutlaka çevrenize sizinle tartışacak akıllı insanları toplayın."

Benim, yönetimin bir takım halinde yürütülmesi gereğine inanmamın nedenlerinden biri budur. Yönetici ekipleri birbirini tamamlar ve dengelerse, o zaman bir kişinin kusuru, bir diğerinin güçlü yanıyla telafi edilebilir. (Anlattığım Berkshire Hathaway'de Warren Buffett ve Chalie Munger, Cap-

Cities'de Tom Murphy ve Dan Burke, Disney'de Frank Wells ve Michael Eisner vakaları buna örnektir.) Ancak ekipte sadece baskın kişilikli bir tek kişiye yer varsa, o zaman dikkatli olmak gerek. Çünkü o kişi neyse şirket de odur ve o kişi yetersiz kaldığı zaman şirketin de sonu gelmiş demektir.

Çevresini sönük lambalarla donatan parlak ışıklara dikkat etmek gerekir!

Coca-Cola'da bu bakımdan çok şanslıydım çünkü üst düzey görevlerde, bana yalnızca yanıldığımı değil, üstelik baştan sona haksız olduğumu söylemekten çekinmeyecek çok parlak birkaç yönetici vardı. Bir de ne yaptığını iyi bilen sekreterlerim oldu. Cesaretleri olduğu için bazen yazdığım mektupları bana geri getiriler ve yüzlerinde yumuşak bir gülümseme ve lisedeyken okul gazetesindeki editörünün kullandığı o harika ifadeyle, "Böyle demek istediğinizden emin misiniz" derlerdi. Çoğu kez, o dediğimi gerçekten kast etmemiş olurdum. Zaten mektupların e-postadan en büyük üstünlüğü burada. İnsana düşünmek için zaman verir. Bu konuya daha sonra yine değineceğiz.

Tüm dünyanın tıpkı sizin gibi yaşadığını varsayın. Hubert Humphrey bir zamanlar, her Kongre üyesinin ve her yüksek mevkideki kamu görevlisinin haftada bir kez toplu taşıma araçlarına binmesini ve böylece dünyanın gerçekten nasıl yaşadığını görmelerini önermişti. Bu üst düzeyli şirket yöneticileri için de geçerli olmalıdır. Şu deyişi akılda tutmakta yarar vardır: İş yerinde CEO olabilirim ama evde çöpü kapıya ben koyuyorum."

Şirketin kıdemlileri bir keresinde New England'da üç kuşaktır Coca-Cola'yla çalışan eski ve aristokrat bir aileden gelen şişeleyicimizi anlatmışlardı. Bu kişi büyük olasılıkla tesisten içeri adımını atmamış ve herhalde yıllardır ağzına Coca-Cola sürmemişti. Buna rağmen Pazar günleri öğleden sonra radyoda reklam verilmesi konusu geldiğinde, kendisinin şirketten daha iyi bildiğine hükmetmiş ve şöyle demiş: "Pazar günleri öğleden sonra kimse radyo dinlemez, herkes polo oynamaya gider." İşte katıksız soyutlanma buna denir. Kendi içinize kapanmanın, müşterilerinizle ve çalışanlarınızla teması tamamen kaybetmenin yolu budur. Ve işin en iyi yanı şudur ki, bunun farkına bile varmazsınız!

Eğer Üçüncü Emri uygular ve kendinizi tam anlamıyla herkesten uzaklaştırırsanız, sadece şirketiniz hakkında neler bilmediğinizi bilmemekle kalmayacak, aynı zamanda bildiğiniz şeylerin de doğru olduğu hakkında sarsılmaz bir inanca sahip olacaksınız. İnsanın kendisini her şeyden soyutlaması en uç noktasına taşındığı zaman, neredeyse ilahi bir haklılık duygusu yaratmaya başlar. Henry Ford ve Sewell Avery gibi insanlar ve daha önce sözünü ettiğimiz Xerox ve IMB gibi çok başarılı kurumların başındaki pek çok yönetici, sadece kendilerinin haklı olduğuna inanmakla kalmıyorlardı. Daha da tehlikelisi, her zaman olmasa bile, asla hata yapmayacaklarına inanmaya başlamışlardı. Bir şirketin bildirilerinde "Biz hata yapmayız, biz en iyisini biliriz" gibi ifadeler yer alıyorsa dikkatli olun, çünkü şirkete yol gösterenler, bir sonraki bölümde gelecek emrin insanı ayartıcı büyüsüne kapılmış gitmekteler.

Dördüncü Emir

Yanılmaz Olduğunuza İnanın

HER ŞEYDEN ÖNCE, bir sorun ya da bir hata olduğunu asla ve asla kabul etmeyin. Ters giden bir şey varsa örtbas edin ya da en iyisi dört dörtlük bir kriz çıkana kadar bekleyip kabahati şirket dışı bir etkene ya da bir başkasının üstüne yıkın. Müşteriler zaten hep sorun çıkartır. Kötü giden ne varsa her zaman onları suçlayabilirsiniz!

Yıllık şirket raporları, özellikle de hissedarlara gönderilen mektuplar beni çoğu zaman eğlendirir. Şirket felaketlerle dolu bir yıl geçirmiş olsa bile, yönetim kurulu başkanının bütün mektupları, beklenmeyen kur dalgalanmalarından, olağandışı kasırgaların etkisine kadar akla gelen her türlü nedenin suçlandığı pek başarılı çalışmalardır. Kimin olduğu bilinmeyen beceriksizliklerin övgüsü haline gelmiş ve her niyete çekilebilen şu zavallı cümleyi mutlaka görmüşsünüzdür: "Hatalar yapıldı." Binanın kirişleri çökerken, ortalık toz dumana boğulmuşken, bütün bunlardan sorumlu olan kişi, rahatlıkla "Hatalar yapıldı," diyor. İma edilen ise kuşku yok ki şu: "Ama ben yapmadım."

Bernard Buffett'in Berkshire Hathaway'in yönetim kurulu başkanıyken yazdığı o efsane olmuş mektupların güzelliği işte burada. Eğer bir yılın performansı önceki yıllardan düşük kaldıysa ya da beklentilere ulaşmadıysa, Warren hiç duraksamadan "Bu kötü oldu ve kabahat benimdi" der. Sermayeyi en çok kârlılık sağlayacak biçimde dağıtma konusundaki neredeyse eşsiz performansına rağmen, yanılmaz olduğunu asla iddia etmez. Örneğin 1996 yılında hissedarlara yazdığı mektupta Warren, Berkshire'ın USAir şirketine yaptığı yatırımdan kaynaklanan sorunları anlatmış ve şöyle demişti: "Bir başka vesileyle konuşurken bir arkadaşım bana 'Madem bu kadar zenginsin neden akıllı değilsin' diye sormuştu. USAir'deki zavallı performansıma baktıktan sonra, onun haklı olduğunu söyleyebilirsiniz."

Tedavi edilmeden bırakılırsa, giderek ağırlaşan yanılmazlık hastalığına bir örnek de Coca-Cola'dan verilebilir.

1999 yılında Belçika'da birkaç öğrenci hastalandığında nedeni kısa bir süre önce içtikleri Coca-Cola'ya bağlanmıştı. Şirket bir miktar teknik değerlendirme yaptı ve–binlerce kilometre uzaktaki–genel merkezden, üründe çocukları hasta edecek bir şey bulunmadığına karar verdi. Konu kapanmıştı. Şirket bu gibi konularda yanılmazdı.

Halbuki bu çocuklar hasta olduklarına inanıyorlardı. Aileleri onların hasta olduklarına inanıyordu. Doktorlar çocukların hasta oldukları kanısındaydı. Ama şirketin üst yöneticileri böyle düşünmüyordu.

Satışlar kurşun gibi düştü ve yönetim insanı çileden çıkartacak kadar aheste bir tavırla, daha krizin ilk gününde alması gereken bir karar alarak sorunlu ürünü raflardan çekti.

Yine de yöneticilerin gözünde ürüne bulaşmış hiçbir şey yoktu. Gerçekte, algılama çok açıktı ve bunun tersini gösterecek kesin kanıt olmayınca, algı gerçek olarak kabul edildi. Ne var ki yaşanılan tatsızlık kısa sürede bitmedi ve olumsuz reklamın giderek ivme kazanmasına imkan verildi. Bu olay, şirketin 120 yıllık geçmişinde en büyük çaplı ürün geri çekme işlemine yol açtı ve şirketin itibarı ile imajını yeniden onarmak için aylar süren pahalı çabalar gerekti. İtibar ve imaja paha biçilemez. İncil'in dediği gibi, "Saygın bir isim büyük servetlere tercih edilmelidir."

Schlitz biraları, Amerikan bira sanayiinin en büyük isimlerinden biriydi. Ama şimdi hatırlayan kaldı mı acaba? 1975 yılında Schlitz Budweiser'in arkasından ikinci şirketti ve birinciliğe göz dikmişti. Schlitz yönetimi, pazarlama teknikleri açısından kendilerini gelenekçi Anhauser-Busch'tan daha ileri görüyorlardı. Budweiser'dan daha kapsamlı "pazarlama araştırması" yapıyorlardı ve giderek kendilerini daha akıllı görmeye başlamışlardı. Kendi yöntemlerinin şaşmaz olduğuna inanmaya başladılar. Girdi maliyetlerini düşürmek uğruna bıracılık sektörünün geleneklerini çiğnemek gerekiyorsa, eh o kadar da olurdu artık. İlk zamanlar bu fikir doğru gibi göründü.

Ve bir süre her şey yolunda gitti.

Ne var ki Schlitz biranın üretim süreciyle oynamaya devam ediyordu. Mayalama döngüsünü hızlandırmak için ekledikleri yeni kimyasallar, biranın kalitesini etkilemeye başlamıştı.

En basit üründe bile kalite algısı yitirilirse her şey yitirilmiş olur. Tüketiciler Schlitz'in biraya giren maddelerde işin kolayına kaçtığını öğrendiklerinde buna olumsuz tepki gösterdiler. Tüketicinin markasına çok sadık olduğu bir sektörde Schlitz tutkunları biralarını terk etmeye başladılar. "Milwaukee'yi Ünlendiren Bira" sloganıyla tanınan Schlitz, ülkenin en önde gelen bira imalatçılarından biri konumundayken, 1990'ların ortasına gelindiğinde ününü kaybetmenin de ötesinde, yok olmuştu.

En iyisini biz biliriz mantığındaki o yanılmaz yönetim tavrı, pek çok şirketin gerçekleri göz ardı etmesine ve fırsatları kaçırmasına yol açmıştır.

General Motors, Ralph Nader'in Her Süratte Güvensiz adıyla 1965'te yazdığı ve otomotiv endüstrisindeki güvenlik uygulamasını eleştiren kitabıyla mücadele etmek ve Nader'-ın iddialarını yalanlamak için zamanını, parasını ve itibarının geri kazanılamayacak bir bölümünü harcadı. Nader sektörün tümünü eleştirmekle beraber, kitabın bir bölümünü özellikle Chevrolet'nin yeni arkadan motorlu Corvair modeline ayırmıştı. Nader ve aracı eleştiren başka kişilerle bir araya gelip sektördeki diğer kurumlarla işbirliği içinde bütün arkadan motorlu araçların güvenlik düzeyini yükseltmeye çalışmak yerine, GM yöneticileri, daha sonra Nader'i taciz etmekle suçlanacak olan özel dedektifler tuttular. GM yönetimi, kamu güvenliği için gerçek bir kaygı taşıdıklarını gösterecek ve imajlarını pırıl pırıl yapacak altın fırsatı heba ettiler. Onu yerine, ne pahasına olursa olsun "yanılmaz" olmayı seçtiler ve sonuçta halkın kendilerine beslediği iyi niyette, değeri ölçülmez bir kayba uğradılar.

Biraz önce, şaşmaz bir yönetici olarak pek de o kadar şaşmaz olamadığımı düşündükleri anda, bunu bana söylemeye hazır bir ekibim olduğu için şanslı olduğumu söylemiştim.

Bunun çok önemli bir örneğini, 1989 yılında Berlin Duvarı'-nın yıkılmasından hemen sonra yaşadık.

Eğer başarısız olmak istiyorsanız benim burada yaptığımı yapın. Almanya'daki işletmelerimizin müdürü ve kendisi de Alman olan uluslararası işletmeler başkanımız Claus Halle ile bir toplantı yapıyorduk. Yıllık iş planı üzerinde her zamanki çalışmayı yaptığımız sırada, Almanlar, Doğu Almanya'da kurulan yeni ve demokratik devlette, kabaca yarım milyar dolarlık bir yatırım yapılmasını öngören bir projeyi önümüze getirdi. Projenin maliyeti, toparlamakta olduğumuz toplam bütçede çok büyük bir gedik açacaktı ve ben de galiba tavizsiz bir sertlikle reddettim. Toplantıdan sonra Claus yanıma geldi ve Alman yöneticilerin oluşturduğu ekibin başı olan kişinin istifa etmek istediğini söyledi.

Şaşkına dönmüştüm. Neden?

Claus şöyle yanıt verdi: "Söylemek istediğini doğru düzgün dinlemediniz. Bu yatırımın büyük bölümü Alman şişeleyicilerden gelecek. Doğu Almanya'nın potansiyelini bilmiyorsunuz. Oraya hiç gitmediniz. Bunun ne kadar büyük bir fırsat olabileceğini düşünmeden hemen reddettiniz."

Devam etti: "Hiç değilse onlarla tekrar konuşun. Ama ben sizden başka bir şey daha isteyeceğim. Benimle Doğu Almanya'ya gelip kendi gözünüzle, birinci elden görün, kararınızı o zaman verin."

Doğu Almanya'ya gittik. Her yerini dolaştık ve gittiğimiz her yerde fırsatların olduğunu gördüm. Fikrim tamamıyla değişmişti. Konuyla ilgili herkesi topladık ve ben böylesine dar görüşlü ve uzlaşmaz olduğum için özür diledim. Oracıkta hep birlikte, Doğu Almanya'da birkaç tane tesisi satın almanın planlarını yaptık.

Bir ay sonra İsviçre'nin Davos kentinde toplanan Dünya Ekonomik Forumu'nda, Coca-Cola sisteminin, Doğu Almanya dahil, Doğu Avrupa'ya bir milyon dolar yatırmaya hazır olduğunu açıkladım. Bu hamle, şirketin o dönemdeki yeni küresel atılımının önemli bir dönüm noktası oldu ve aynı zamanda Batı iş dünyasının eski Sovyet bloğu ülkelerinde yapacağı toplam yatırım açısından da büyük bir adım oldu. Şişeleme ve dağıtım işleri için yaptığımız makine yatırımları, kamyonlar ve meşrubat otomatlarının yanı sıra, Coca-Cola dünyanın her yerinde yaptığı gibi, ekonomide atılımlara öncülük etme görevini yerine getirmiş ve bizim sektörümüzle ilgili olan şişe, teneke kutu, kasa, istifleme rafları üretimi ve matbaacılık gibi alanların gelişmesini destekleyecek fırsatlar yaratmıştı.

Daha sonra Doğu Almanya ve diğer Doğu Avrupa ülkelerinde yaşadığımız kârlı deneyimler, insanın bir ülkeyi veya iş şartlarını, genel merkezdeki rahat bürosundan kitaplar okuyarak yeterince öğrenemeyeceğinin kanıtıdır. Neville Isdell CEO olarak başa geçmek üzere 2004 yılında Coca-Cola'ya geri döndüğünde, ilk yüz gün hiçbir değişiklik yapmadan dünyayı dolaştı, operasyonu inceledi, çalışanlarla ve müşterilerle konuştu. Şu basit gerçeği ne kadar vurgulasam azdır: Kendi gözünüzle görmenin mutlaka olumlu sonuçları olacaktır. Kendi çalışanlarınızı, bürokratik katmanların süzgecinden geçerek dinleyeceğinize, yüz yüze görüşerek yakından dinlemekle de aynı sonucu alırsınız.

Gerçek iş dünyasında olanları, eğilimlerin neler olduğunu ve iş yaptığınız her yerde önemli olanın ne olduğunu bilmeden, sahip olabileceğiniz pazarlama avantajlarının hiçbirinden yararlanamazsınız. En iyi bilgi kaynağı ise sahadaki kendi kuvvetleriniz, kendi yerel ekibinizden gelir. Tepeden inme emirler olarak iletilen yönetim politikaları ve stratejileri ise başarısızlığa mahkumdur. Eğer başarısızlık şansınızı artırmak isterseniz, kararlarınızda her zaman yüzde yüz haklı olmayacağınız ihtimalini reddedin. Bazen başkalarının da bildiği şeyler olabileceği gerçeğini görmezden gelin. Yargıç Oliver Wendell Holmes'in şu bilge sözlerini umursamayın: "Emin olmak, kesinliğin kanıtlandığı bir sınav değildir."

Demek ki başarısız olmak istiyorsanız, yanılmaz bir öndermiş gibi davranmalısınız.

Ve eğer daha da görkemli bir başarısızlık isterseniz, şimdi gelecek emir tam aradığınız şey.

Beşinci Emir

Faul Çizgisine Yakın Oynayın

BEN DOĞDUKTAN ÜÇ YIL sonra oturduğumuz ev yanıp kül oldu. Hemen hemen her şeyimizi kaybetmiştik. Yaşayacak yeni bir yer bulmalıydık ve Büyük Buhran'ın zorlayıcı etkileri de hissediliyordu. Babam Leo, 42 yaşında her şeye tam anlamıyla baştan başlayacaktı. Yine de yaşamımızı yeniden kurmayı başardı. Yaşadığımız çiftliği terk edip Iowa eyaletinin Sioux City kentine taşındık ve babam burada büyükbaş hayvanların alınıp satıldığı büyük bir merkezde iş buldu. Zamanla işinde gitgide yükseldi ve bölgenin işten en iyi anlayan büyükbaş hayvan tacirlerinden biri oldu. Hayvanları bir bakışta ölçüp, hemen değer biçmekte inanılmaz bir yeteneği vardı. Öyle bir hale geldi ki, 50 kadar sığırlık bir sürüye bakıp, hayvan başına ortalama ağırlığı yaklaşık beş kilo farkla bileceğine bir kovboy şapkasına iddiaya girer oldu. Delikanlılığımda yanında çalıştığım yaz, hiç kimsenin onun iddiasını kabul ettiğini görmedim. Herhalde babam kimseye kovboy şapkası almak zorunda kalmamıştı.

Ancak babamda keskin bir gözden daha değerli bir şey

vardı. Gereğinden fazla dolandırıcının bulunduğu bir meslekte babam şaşmaz dürüstlüğüyle ün salmıştı. Nebraska, Wyoming ve Güney Dakota'dan çiftçiler, varlarını yoklarını ve çok zaman zorlu hava koşullarında geçirdikleri aylarını harcayarak yetiştirdikleri sığırlarını trene yükler ve babama telefon açıp sadece şunu isterlerdi: "Leo, alabileceğin en iyi fiyata sat." Babama sarsılmaz güvenleri vardı. Ve bu güvenilirlik, benim de sahip olmak istediğim bir nitelikti. Korkulan değil, sevilen değil, güvenilen biri olmak. Namuslu ve herkese karşı dürüst olduğuna güvenilen biri olmak. Hakça davranacağına, doğru olanı yapacağına güvenilen biri olmak.

Eğer faul çizgisine yakın oynarsanız, ne müşterilerinizde, ne de çalışanlarınızda fazla bir güven duygusu yaratamazsınız. Ve başarısız olursunuz.

> *"Başarı, ilkelerinizi çiğnemeden elde ettiğiniz zaman daha kalıcıdır."*
> –Walter Cronkite

ROBERT WOODRUFF'IN Coca-Cola Şirketi'nin küresel faaliyetlerini kuruşunda güvenin oynadığı role daha önce değinmiştim. O zaman olduğu gibi, şimdi de güven her şirketin vazgeçilmez temelidir. Teknolojideki ilerlemeler ile yönetim ve pazarlamadaki yeni modalara rağmen, iş hayatında her şey eninde sonunda güvene dayanır. Tüketici, ürünün yapacağı vaat edilen işi göreceğine güvenir; yatırımcı yöneticilerin becerisine güvenir; çalışanlar yönetimin verdiği sözleri tutacağına güvenir.

Son yıllarda, doğru olanın ne olduğu konusundaki fikirleri biraz karışık, açıkgöz ve enerjik bir takım insanlar türedi. Kmart ve Wal-Mart aynı yılda, 1962'de kuruldular. Ancak Kmart'ın seçtiği tehlikeli yol onu 2002'de iflasa götürdü. Yıllar boyunca yolsuzluklar yapıldığı, yöneticilerin çıkarlarını kolladıkları yolunda söylentiler ve iddialar devam etti. Hatta Kmart'la çalışan üst düzey bir emlak şirketi yöneticisi rüşvetten hüküm giydi. Gerçek şu ki, oyunu faul çizgisine çok yakın oynamışlardı ve mahkeme bazı durumlarda çizgiyi aştıklarına hükmetmişti.

Yolsuzlukların bu kadar yaygınlaşmasının bir nedeni, toplumsal ortamımızın tümüyle daha az terbiyeli ve kötü tavırlara karşı daha hoşgörülü hale gelmesidir. Merhum senatör Daniel Moynihan bunu "giderek düşükleşen belirleyici bir sapkınlık" olarak tanımlamıştı.

1969 yılında Stanford Üniversitesi'nden psikolog Philip Zimbardo'nun yürüttüğü ünlü bir deney vardır. Plakasız ve motor kaputları açık iki sahipsiz otomobilden biri New York'un Bronx semtinde, diğeri California'da Pablo Alto'da sokağa bırakılmıştı. Bronx'taki otomobilin tüm parçaları birkaç dakika içinde sökülüp götürüldü.

Palo Alto'da ise çok farklı bir şey oldu. Araba, bir haftadan uzun bir süre kimse el sürmeden kaldı. Derken bir gün deneyi yapan psikolog, eline bir balyoz alıp arabayı parçalamaya başladı. Kısa süre içinde, yoldan geçenler de sırayla balyozu salladılar ve birkaç saat içinde araba paramparça oldu. Bu deney kriminolojide "kırık cam" teorisine yol açtı. Yani bir binadaki kırık bir cam onarılmadan bırakılırsa, kısa süre içinde tahripkâr insanlar geri kalan camları da kıracaklardır. Teoriye göre kırık cam şu mesajı vermektedir: "Kimsenin umursadığı yok, cam kırsanız bile size bir şey olmaz. Daha çok cam kırın, kimse bir şey demez."

Birkaç yıl öncesinin iş ortamı, bir dereceye kadar buna benzer bir durumdaydı. Etik yapıdaki küçük çatlaklar önemsenmiyordu.

Yolsuzlukların daha yaygınlaşmasının bir başka nedeni de, piyasayı oluşturan dostlarımızı, yani Wall Street analistleini hoş tutmak için aşırı zaman harcamaya başlamamızdır.

İş dünyasında geçirdiği 120 yılın büyük bölümünde Coca-Cola'nın Wall Street'le fazla işi olmadı. Şirketin başarılı yıllık raporları, resimsiz, pelür kağıda basılmış, siyah beyaz sekiz sayfadan oluşurdu. Tavır şuydu: "Bilmeniz gereken her şey işte burada. Okuyun."

Şirketi yönetenlerin halka hitap etmeleri çok ender görülürdü. Halkla ilişkiler görevlileri, yöneticilerin isimleri gazetelerde çıkmasın diye maaş alırlardı. Yıldız olan şirketin CEO'su ya da CFO'su değil, ürünün kendisiydi.

Ne var ki zamanla Coca-Cola için de, hemen hemen tüm diğer şirketler için de yıllık raporlar yeni bir anlam kazandı. Bunlar bugün bir halkla ilişkiler aracı haline geldi. Bu raporlarda artık sadece şirketin neler yaptığı anlatılmıyor. Artık pek çok şirketin yıllık raporunun renkli sayfalarında her ırktan, inançtan ve kültürden insanlar yer alıyor ve çift sayfa bir resimde görülen Maine eyaletindeki el değmemiş bir ormanın, bu raporun basılması için kesilmediği duyuruluyor. Bütün bu yeşil güzelliklerin arasında bir yerlerde sayıları da bulabiliyorsunuz.

1982 yılında tarihin en büyük piyasa yükselişi başladı.

Ve 1987 yılındaki geçici bir düşüş hariç, 18 yıl boyunca coşkuyla devam etti. Bu zaman içinde pek çok şirket, analistleri önce bahçesine aldı, sonra antreye, mutfağa, ardından salona girmelerine izin verdiler. Sonunda pek çoğu bir gün kalktı baktı ki, analistler yatak odasında.

Artık analistlerin orada bulunmalarının nedeni şirketlerin gidişatını izlemek değildi. Şimdi onlar tatlı dilleriyle, şirket yöneticilerine ne yapacaklarını söylüyorlardı.

Büyük piyasa yükselişine kadar şirketlerin finans yönetimi başkanları (CFO), yaratıcılıklarına göre değerlendirilmezlerdi. Bunlar akıllı, sağlam ve çoğu zaman da basbayağı acımasız insanlardı. Baş görevleri, şirkete giren ve çıkan her bir doların sahte olup olmadığını denetlemekti. Öyle ki, altın kullanılan devirde olsalardı, mutlaka paraları ısırırlardı. İyi haber taşımak onların işi değildi. CFO'lar gerçekleri söylerdi. Hiçbir şeyi allayıp pullamazlardı. CFO'nun, CEO'ya iyi olsun, kötü olsun, isterse hiçbiri olmasın, her zaman çıplak gerçekleri söyleyeceğinden emin olabilirdiniz.

Ancak borsa yükselmeye başladıkça ve şirketler yabancıları yatak odalarına aldıkça, CFO'luk giderek önemli bir kâr merkezi haline geldi. Bunalmış CEO'lar, CFO'lara, "Bu çeyrek dönemde beş sente daha ihtiyacım var. Bul bir yerden," demeye başladı.

Zaman geçtikçe CFO'lar, şirketin şeffaflığının ve mali dürüstlüğünün koruyucusu olacakları yerde, iş hayatının yıldızları oldular. Analistler ise her köşe başında rastlanan ünlüler gibiydi. Bu arada tabii analistler, yatırım bankacılığı kurumlarının ekonomik sağlığı açısından da büyük önem taşır olmuşlardı.

Artık hemen hemen bütün şirketler devamlı Wall Street'le temasta olduğu için, giderek kısa vadeli şirket sonuçları için sürekli bir talep oluştu. Bu talep öylesine güçlendi ki, kısa dönemde olumlu sonuç alma baskısı kaçınılmaz oldu. Bazı şirket başkanları artık "Bunu yapmak doğru mu?" yerine "Bunu yapmak yasal mı?" diye soruyorlardı. Buradan sonra artık "Bundan paçayı kurtarabilir miyiz?" noktasına çok küçük bir adım kalmıştı.

Bu şirketler için öykünün sonu trajik geldi. Artık borçları örtbas etmek, gelirleri yüksek göstermek veya vergiden kurtulmak, bazen de hepsi için rakamlarla oynuyorlar, muhasebe hileleri yapıyorlardı.

Bu işlere karışanların sonu utanç ve bazıları için ise hapishane oldu. Bazı CEO ve CFO'larda ahlaki sorumluluklar ve toplumu bağlayan yasalar karşısında, yöneticilere özgü bir bağışıklık olduğu duygusu yerleşmişti. Adelphia şirketi halka açıldıktan sonra bile John Rigas ve oğulları şirketi ailelerinin hazinesiymişçesine yönetmeye devam ettiler. Enron ve Tyco gibi iddialı şirketler sorunlarla boğulmuş olmalarına rağmen, CEO'ları ve CFO'ları hâlâ şirketin sahiplerini ve çalışanlarını hiç dikkate almadan bildikleri gibi devam ediyorlardı.

Şirketlerin büyük çoğunluğu kurallara uymuş ve Beşinci Emir'den uzak durmuş olsalar da, kimileri faul çizgisine, üstlerine çizgiden tebeşir tozu bulaşacak kadar yakın oynuyorlardı ve çizgiyi aştıkları da oluyordu. Bu yoldan çıkmış şirketler, Adelphia'nın A'sından başlayıp World Com'un W'suna kadar uzayıp gidiyordu. Ve ne yazık ki bunların davranışları basında öyle kötü bir imaj yarattı ki, bir biçimde tüm şirketlerin itibarını lekelediler. Sahtekar iş adamlarını görkemli partilerde güç odağı ve parlak şöhretli isimlerle canciğer gösteren fotoğraflar hepimize zarar verdi.

Sorunun bir başka yanı ise şöhret tutkusudur ki bu çağdaş yaşamın en sağlıksız yönlerinden biridir. Yirmi dört saat çalışan iletişim ortamında kameralar her zaman açık ve profesyonel konuşmacılar, her an hakkında konuşacakları yeni birilerini arıyor. Bazı önde gelen yöneticiler bu talebe memnunlukla yanıt veriyor. Resimlerini bir derginin kapağında görebilmek için ne fedakarlıklar yapmış, gösterişli davetler düzenlemiş, süslü püslü evlere bir servet harcamışlardır.

Orta derecede bile olsa, önemli bir yere gelmişseniz dikkatli olun. Medya yazarları ya size asla hak etmediğinizi kadar zeka ve çekicilik atfedecek ya da sizde Varyemez Amca'dan daha fazla kusur bulacaklardır.

Coca-Cola Şirketi'nin başkanlığına getirildikten kısa bir süre sonra bazı iş dünyası dergilerinde hakkımda yazılar çıktı. Kendimi zor tanıdım. Ya şirketi yönetmeye yardıma gelmiş beyaz şövalye idim, ya da ünlü Peter Prensibi'nin* canlı örneği olarak, yeteneğimi aşan bir mevkiye getirilmiştim.

En zengin ziraatçilerin bile varlıklarını belli etmemeye büyük özen gösterdikleri Orta Batı'da yetişmiş olmam sayesinde, kendimi dev aynasında görmek gibi huylardan uzak durmak benim için kolay oluyor.

---

* Bir kurumda çalışan herkes, artık başarılı olamayacağı mevkiye kadar yükselir.

> *"Yöneticilerin kaygısı işleri doğru yapmaktır,*
> *önderlerin kaygısı doğru işleri yapmaktır"*
> –Anonim

GALİBA BU ÜLKEDE iş aleminde patlak veren her skandalın ardından yeni kurallar üretiyoruz. Bono ve hisse alım satımına denetim getirmek için ilk çalışma, 1792'de Hazine'nin yönetim kurulu sekreteri olan William Duer'in etik dışı spekülasyonlarının başlattığı panik üzerine yapıldı. Ülkenin ilk hazine bakanı olan Alexander Hamilton son derece dürüst bir adamdı. Ancak yardımcısı Duer, "insider trading" denilen, kurum içi bilgileri kendi veya yakınlarının çıkarı için kullanmak suçunu işleyen ilk Amerikalı olarak kötü bir isimle tarihe geçmiştir. Duer'in yaptığı ahlaksız manipülasyonlar, zaman içinde ihale düzenleyicileri ve hisse alım-satımı yapan işlemcileri, çalıştıkları kahvehanelerden ve kaldırım köşelerinden, işlemlerin daha iyi denetlenebileceği ve düzgün kayıtların tutulabileceği kalıcı ve merkezi bir yere taşınmaya yönlendirdi. (Burası daha sonraları New York Borsası olacaktı.)

Başkan Ulysses S. Grant yönetiminin skandalları ve 19. yüzyılın sonlarındaki "soyguncu baronların" piyasayı ve rekabeti etkileyen şikeleri yüzünden daha sert kurallar ve anti-tröst yasaları geldi. 1920'li yılların başında Başkan Harding'in Teapot Tepesi* skandalından ve özellikle 1929'daki bü-

---

* Wyoming eyaletinde, kamu arazisinde yer alan bir petrol sahası olan Teapot Tepesi'nin 1921 yılında ihalesiz olarak bir kişiye verilmesinden kaynaklanan rüşvet skandalı.

yük borsa çöküşünden sonra yine yeni yasalar çıkarıldı. Fiyatların önceden ayarlanmasını, hileli teklifleri ve haksız rekabeti önlemek için daha sonraki yıllar boyunca daha da fazla kural getirildi.

İnsanları ahlaklı yapmaya yetecek kadar yasayı asla çıkaramayız. Enron skandalı patlak verdiğinde, 71 bin sayfalık federal tüzük, ayrıca SEC ve New York Borsası kuralları zaten yürürlükteydi.

Hileye karşı getirilmiş yasalar son derece açıktır, ancak zor durumdaki mortgage piyasasının 2007 yılı yazında çözülmesinden önceki dönemde, mortgage kredisi almak için sahte kimlik hatta sahte maaş bordrolarının edinilebildiği web siteleri vardı. Bu kredileri veren görevliler, böyle sahtekarlıkların sadece mümkün değil, aynı zamanda muhtemel olacağını düşülmeliydiler.

Subprime mortgage krizi, çok yanlış kararlardan ve bazı durumlarda bunların yanı sıra alenen suç olan işlemlerden kaynaklanmıştır.

Ben bu satırları yazarken bile, benimsenen daha da sıkı (kimilerine göre fazla sıkı) kuralara ve kamuoyunun yöneticilere sağlanan aşırı menfaatler ile güven vermeyen yönetim tavırlarına duyduğu büyük tepkiye rağmen, hâlâ çizgiye çok yakın koşan bazı şirket yöneticileri olduğunu biliyoruz.

Ben bu tavrı anlamakta güçlük çekiyorum. Tek söyleyebileceğim şu: Bu yöneticiler öylesine her şeyden kopuk olmalılar ki, (Bkz. Dördüncü Emir) kendileri dahil, hepimizde görülen ortak insan zaaflarından habersizler.

Donanmadayken, İkinci Dünya Savaşı'nın sonlarına doğru, en ağır yaralıların getirildiği bir hastanede görev almıştım. Burada kolları veya bacakları kesilmiş, kör, sağır olmuş ve geçirdikleri travmanın ağırlığından konuşma yeteneğini kaybetmiş vakalar vardı. Herhalde sicilimde, lisedeki konuşma eğitimime ait bilgi vardı ki, beni konuşma engellilerin getirildiği işitsel rehabilitasyon merkezine vermişlerdi. Hiçbir yeterliğe sahip olmamama karşın, hastanenin tek uzman terapistinden bazı teknikler kapmıştım ve onunla birlikte, konuşma yeteneğini geri kazanan hasta sayısında oldukça iyi bir oran yakalamıştık.

Hastalar arasında rütbe geçmezdi. Erlerle subaylara aynı davranılırdı. Rehabilitasyon sırasında erler kendilerini zorlayarak tamamıyla iyileşiyorlardı. Ancak daha önce kendi yeteneklerini sorgulama gereğini hiç yaşamamış olan bazı subaylar, umutsuz ve kırgın bir halde, asla eski kişiliklerine dönemiyorlardı. Bu hastanedeki deneyimlerim sayesinde daha çok genç yaşta, insanoğlunun hem ne kadar soylu, hem de ne kadar kırılgan olduğunu fark ettim. Bu iki özellik arasındaki mesafe hiç de büyük değil. İnsanlar olağanüstü başarılara yükselebildikleri gibi, çok hızla da düşebiliyorlar.

Bir hastanede, özellikle de ağır yaralılarla dolu bir hastanede insan, aramızdaki farklılıklardan çok, hepimizde olan benzerliklere, ortak gereksinimlerimize ve kırılganlıklarımıza odaklanıyor. Bir yerimiz kesidiğinde hepimizden kan gelir.

Cizvit rahibi ve ünlü paleontolog Teilhard de Chardin şöyle demiştir: "Tüm diğer insanlarla birlikte olmadıkça, insanı bekleyen evrimsel bir gelecek olamaz." Aynı fikirdeyim. Dolayısıyla, diğer insanlara sevecenlik ve saygıyla yaklaşmak sadece bize yaraşan davranışlar olmakla kalmaz, aynı zamanda topluca var olabilmemiz için de gereklidir. Zayıf ahlaklı insanlar bir süre, hatta çok uzun bir süre başarılı olabilir ancak eninde sonunda ahlak düşkünlükleri ve tevazudan mahrum olmaları yüzünden yok olurlar. Çürük bir temelin üzerine sağlam ve kalıcı bir iş kuramazsınız.

Coca-Cola Şirketi'nin güven ve mutlaka doğru olanı yapma gerekliliği üzerine kurulu bir şirket kültürüne sahip olmasından her zaman gurur duydum.

NBC kanalının 1970'lerde yaptığı ve göçmenlerin zor koşullarını yansıtan bir belgeseli çok iyi hatırlıyorum. Yüzlerini görmedikleri işçi simsarları tarafından işe alınan bu insanlardan çoğunun bizim Florida'daki Minute Maid meyve suyu şirketimize ait portakal bahçelerinde çalıştığını ve bazılarının yaşam koşullarının ne kadar kötü olduğunu görünce dehşete düşmüştük. O dönemde CEO'muz olan Paul Austin, başkan Luke Smith ve içlerinde benim de olduğum birkaç kişiyi bu işi araştırmaya gönderdi. Pek çok yerde durum gerçekten içler acısıydı. Austin, konu hakkında soruşturma yürüten Senato komisyonuna ifade vermeye gitti ve kendisine işçilerin durumu anlatıldığında, şöyle konuştu: "Senatör, koşullar sadece sizin söylediğiniz kadar kötü olmakla kalmıyor, düşünebileceğinizden de ağır. Coca-Cola Şirketi, vicdanı gereği bu duruma göz yumamaz. Bunu düzeltecek pek çok şeyi yapmaya çaba göstereceğiz."

Ve öyle de yaptık. Elimizdeki bulgulara dayanarak işçilerin genel yaşam standartlarını yükseltmek için bir plan hazırladık. İlk işimiz, işçilere daha iyi barınaklar, bahçelere daha rahat ulaşım koşulları, ürün toplama eldivenleri, bahçelerde soğuk içme suyu ve diğer başka kolaylıklar sağlamak oldu. Eski evler yıkıldı. Ancak sonra düşündük ki sadece yaşam koşullarında refah sağlamak yetmeyecekti. Koşulların yarattığı temel insani sorunları ele alacak kapsamlı bir program hazırlamaları için Florida'ya davranış bilimi uzmanlarından bir ekip gönderdik. Onların yürüttüğü çalışma sonunda şirket bir klinik açtı ve çocuk bakımı, okulöncesi eğitim, yetişkin eğitimi veren sosyal hizmet merkezleri kurdu. Ayrıca işçilerin ücretleri ve sigorta koşulları da iyileştirildi. Bunun yanı sıra, işçilerin yönettiği toplum örgütleri oluşturuldu.

Tarım işçileri sendikası geldiğinde önce biraz huzursuzluk yaşandıysa da, sorunları dostane çözüme kavuşturduk ve o tarihten sonra, bahçeler satılana ya da başka amaçlarla kullanılmaya geçene kadar, göçmen işçilerle ilişkilerimiz hep olumu gitti.

Austin'in dediği gibi, göçmen işçilerin o korkunç yaşam koşullarını vicdanen hoş göremezdik. Bu bir halkla ilişkiler çalışması değildi. Yapılması gereken doğru şeydi.

Halkın, benimsediğimiz kapitalist sisteme olan güveninin korunabilmesi için sistemin onurlu ve dürüst insanlar eliyle yürütülmesi gerekir. Rutgers Üniversitesi'nde yapılan ve tüm lisansüstü öğrenciler arasında kopya çekmeye en yatkın olanların MBA öğrencileri olduğunu ortaya koyan araştırma beni çok rahatsız etti. Bununla birlikte bazı MBA derslerinin etik sorunlara değinmeye başladıkları ve "İş Ahlakı" başlığıyla yeni dersler hazırlandığı haberleri var. Umarım başarılı olurlar. Fakat bu dersler iş dünyasında hiçbir pratik deneyim yaşamış olması beklenmeyen öğretim üyeleri tarafından veriliyorsa, çabalar pek etkili olmayacak demektir. Gerçek dünya, her gün ahlaki sorunların söz konusu olduğu kararlar vermek zorunda olduğunuz yerdir.

Babam elbette böyle derslere hiç gerek duymamıştı. İnsanın sözünün senet olduğu ve bir el sıkışmanın, avukatlar aleminin üretebileceği tüm sözleşmeler kadar geçerli olduğunu öğreten değerlerle büyümüştü. Peter Drucker'in, "İş ahlakı diye bir şey yoktur. Sadece ahlak vardır" inanışını mutlaka desteklerdi. Ahlak yaşamınızın bütününden ayrı tutabileceğiniz bir şey değildir. Eğer farklı durumlara uygulanacak farklı ahlak değerleriniz varsa, siz bir iş adamı değilsiniz. Tony Soprano'sunuz!*

Babam her zaman rahat uyuduğunu söyledi. Galiba atasözü doğruyu söylüyor: "Rahat bir vicdan gök gürültüsünde bile uyur."

----

* "The Sopranos" adlı televizyon dizisinin kahramanı olan karanlık iş adamı.

Altıncı Emir

Düşünmeye Zaman Ayırmayın

*"Asıl problem makinelerin düşünüp düşünmediği değil,
insanların düşünüp düşünmediğidir."*

–Burrhus Frederic Skinner

TEKNOLOJİ konusunda takıntılı bir toplumuz. Sonuçta bu iyi bir şey çünkü gerçek ve çok kez hayran olunacak ilerlemeler ortaya çıkıyor. Edison gibi geçmiş mucitler bize ampulü kazandırdıysa, bugünün mucitleri de inanılmaz bilişim imkanları sunuyor. Georgia Üniversitesi Bilgisayar Bilimleri Fakültesi dekanı Richard Danillo, "yepyeni bir inovasyon çağında olduğumuzu" söylüyor. Dünya değişmeye devam ettiği için, bu kitapta atıf yapılan pek çok teknik konunun şimdiden eskidiğini rahatlıkla söyleyebilirim.

Buna rağmen, bir şeyi teknoloji kullanarak yapabiliyoruz diye, ille de bu şekilde yapmamız gerekmez. Çoğu kez belirgin bir avantaj sağlamadığımız halde yaşamı daha karmaşık hale getiriyoruz. Hatta bazen tartışılmaz dezavantajlar yarattığımız da oluyor. Örneğin benim otomobilimin kullanma kılavuzu 712 sayfa. Radyosunda o kadar çok düğme ve ayar var ki, açmak da zor, kapatmak da. Bu düpedüz amaca zarar veren bir durum. Benim hayalimdeki araba radyosunun iki düğmesi olur. Biri radyoyu açar ve ses ayarını yapar. Diğer düğme ise çevirir çevirmez, bir nano-saniyede bir başka istasyona geçer. Biraz daha çevirirseniz yeni bir istasyona atlarsınız. Vesaire. Ama korkarım ki böyle ileri gelişmelerden hayli uzağız.

Teknolojinin bizi en çok hayran bırakan alanı elbette ki iletişimdir. Yaşamımıza kilobyte'lar, megabyte'lar, gigabyte'lar, terabyte'lar, petabyte'lar, exabyte'lar, zettabyte'lar, yottabyte'lar girdi. Byte'lar gittikçe çoğalıyor, değil mi? Peki amaç ne?

Yanıt, daha çok bilgi edinmek. Zaten bir bilgi çağında yaşadığımız söyleniyor.

Bu doğru değil. Aslında veri çağında yaşıyoruz. Veriler 7/24, sürekli akıyor. Her yönden daha çok, daha hızlı veri üstümüze geliyor. Bir tahmine göre dünyada bir günde 60 milyardan fazla e-posta gönderiliyor. Siz bunu okurken, tahminler trilyonlara çıkmış olacak. Sayıları stratosfere kadar yükselmiş olan telefon görüşmelerine hiç değinmiyorum çünkü bu hacim artık anlamsız kalıyor.

Durmadan haberleşiyoruz. Otomatik bir biçimde hemen bilinçli yanıtlar verip, veri akışına biraz da biz katkı yapıyoruz. Bunu yaparken hiçbir değerlendirme yapmıyoruz. Kimse şöyle bir arkasına yaslanıp, çalan zilleri, düdükleri kapatıp, birkaç dakika ciddi bir düşünme süreci yaşamıyor.

Aldous Huxley, 1932 yılında yayımlanan Cesur Yeni Dünya adlı kitabında şöyle yazıyor: "Artık kimse yalnız kalamıyor... Yalnızlıktan nefret etmelerini sağlıyoruz ve yaşamlarını öyle düzenliyoruz ki, artık onlar için yalnızlık mümkün değil."

İş dünyasındaki insanların 2006 ve 2007 yıllarında yaşadıkları en büyük korku piyasaların çökmesi ya da benzer bir felaket değildi. En büyük korku BlackBerry cihazlarından mahrum kalmaktı. Giderek şaşı gözlü kamburlar toplumuna dönüşüyoruz, çünkü herkes bu küçücük aletlerin üzerine kapanmış, bir şeylerden veya her şeyden haber alıyor.

MySpace ve Facebook gibi İnternet'e dayalı sosyal haberleşme şebekelerinin etkisinin ileride ne olacağını hiç bilmiyorum. Belki çok olumlu olur. Umarım. Ne var ki, insanlar arasındaki etkileşimin yapısını değiştirmeye devam ettikçe, elektronik duyuların yüklenmesiyle birlikte insani duyuların azalmasına çok yaklaşıyoruz. Bir insanın bir diğeriyle kurduğu o basit etkileşim kayboluyor. Çocuklar arasında bile. Bugün çocukların oynaması, bildiğimiz oyun oynamak değil. Hayatları öyle planlanmış ki, önceden programlanmış oyun randevuları var–tıpkı iş görüşmeleri gibi. Bir araya geldiklerinde ise çoğunlukla birbirlerinin yüzüne bakmıyorlar bile. Ya gözleri ekranlarda, ya da ellerindeki küçük şeyleri kurcalayıp duruyorlar.

Bir dergide çıkan Panasonic reklamında, otomobilinin içinde oturmuş dizüstü bilgisayarında yazı yazan bir adam görülüyor. Reklamın metni şöyle: "Bu sadece bir dizüstü bilgisayar değil. Siz birkaç e-posta daha gönderene kadar, şoförünüze binanın çevresinde birkaç tur daha atmasını söylemektir."

Böyle bir adamın emrinde çalışmanın nasıl bir şey olacağını düşünebiliyor musunuz? Şükürler olsun ki sadece Panasonic'in reklam ajansının yarattığı bir hayal ürünü.

Düşünmeye zaman bile bırakmadan gelen işlenmemiş veri akışına bu denli bağımlılık, içinde üç ana sorun barındırmaktadır.

1. Gelen Mesaj Kutusu Şoku – İnsani Bedel

Pek çok büro çalışanı, kimilerinin "gelen mesaj kutusu şoku" olarak adlandırdıkları durumun belirtilerini göstermeye başlamıştır ve bundan şikayetçidir. Akılda tutulamayacak kadar fazla bilgi gelmektedir. 2006 yılına yapılan bir araştırmaya göre, ortalama bir büro çalışanı her gün 133 e-posta görüyor. Bu akılda tutulamayacak kadar çok bilgi demek.

Sadece bunlar değil, ayrıca çok sayıda iletişim kanalıyla da uğraşmak zorundalar. Oraya bir faks çek, buraya bir yazılı mesaj yolla, burada bir toplantı var, orada bir tele-konferansa katılmalı, şuradaki PowerPoint sunumunu izle, ötede bir video raporu yakala. Masanın üzerinde öten, ceplerde titreşen telefonlar. Ortalama bir insanın sinir sistemi, böyle göz kamaştıran bir hız ve hacimle gelen bilgiyi işleyecek yapıya sahip değildir.

Geçen gün Bloomberg TV kanalında saat 4.34 ile 4.35 arasında 12 haber başlığı geçti. Bunun yanı sıra ekranda iki yavaş akan yazı, piyasa göstergeleri kutusu ve sürekli duyulan bir de canlı yorum vardı. Ve bu bütün gün devam ediyor. Hem de her gün. Akıp giden bitmeyen sözcükler, bitmeyen bir konuşma, bitmeyen bir gürültü.

Kanada üniversitelerindeki akademisyenler arasında

yapılan bir araştırma sonuçlarına göre, akademisyenlerin yüzde 42'si kendilerine gönderilen sürekli bilgi ve iletişim sağanağından bunaldıklarını ifade etmiş. Yüzde 58'i bilgi ve iletişim teknolojileri (BİT) yüzünden konularına odaklanma yeteneklerinin büyük ölçüde zayıfladığını söylemiş. Bazı tıp fakültelerindeki doktorlar da, insanların anlattıklarını daha canlı ifade edebilmek için telefonda bağırarak konuşmaları yüzünden, ses bozuklukları ve ses kısılmalarının büyüyen bir sorun haline geldiğini söylüyorlar.

Elbette bütün bunları zihinsel ve fiziksel olarak başarabilen insanlar vardır. Hatta bunun yararını görüp zengin bile oluyorlar. Bir süre önce Fortune dergisinde çıkan bir yazıda, Microsoft'un başkanı Bill Gates'in masasında üç monitör durduğunu ve Gates'in senkronize edilmiş bu monitörlerin herhangi birindeki bir girdiyi diğerine çekebildiği belirtilmişti. Ekranlardan birinde e-postalar görünüyormuş. İkinci ekran Gates'in o anda yazmakta olduğu mesajı gösteriyormuş. Üçüncü ekran ise değişik sitelere girmesini sağlayan bir arayıcıymış.

Bill Gates elektronik iletişimin öncüsüdür. Bir dahidir ve özellikle de veri işlemleri konusunda dahidir. Onun küresel toplumumuz üzerinde yarattığı olumlu etkiyi kimsenin ölçmesi mümkün değildir. Kuşku yok ki Gates hepimizi birbirimize yaklaştırdı. Artık aramızda sadece bir "tık" var.

Fakat biz zavallı ölümlüler için BİT, yaptığımız şeye odaklanarak gerçekten ne yaptığımızı düşünecek zaman kazandırmak şurada dursun, genelde zamanı bizde gerginlik yaratacak ölçüde daraltmaktadır. Hollandalı sosyolog Ida Sabelis, bunun için "dekompresyon" yani basınç azaltma tabirini kullanıyor ki bu, çok derine dalan dalgıçların, yüzeye çıkmadan önce yaptıkları işe verilen addır. Çeşit çeşit verinin derinliklerinde yüzdükten sonra, mutlaka basıncı azaltıp, arkamıza yaslanarak önümüzdeki sorunları derinlemesine düşünecek zamana ihtiyacımız var.

"Verinin fazlası olmaz," diyorlar. Ama siz ve ben içgüdülerimizle bunun doğru olmadığını biliyoruz. Marketteki diş macunu reyonunda şaşkın kalakaldıysanız, bunu anlayabilirsiniz. Sadece Colgate markasının 15 veya 16 değişik türü var ki bunların hepsi anlaşılan, diş temizliği, diş beyazlatma ve çürük önlemde az farklı sonuçlar veriyor. Bu kadar bilgi insanı sersem eder.

Daha da ürkütücüsü söyleyeyim: Yeni bir telefon ya da bir televizyon gibi birazcık teknik bir ürün alacağınızı düşünün. Çok harika ve–en azından bizim gibi insanlar için – akıllara ziyan seçenekler var.

Telefonunuz fotoğraf çeksin mi, müzik kaydetsin mi, İnternet'e bağlansın mı, yazılı mesaj alsın veya göndersin mi ya da en yeni dizi filmi oynatsın mı? Bilmek istediğiniz her şey işte burada. Binlerce web sitesinden birine girin veya elektronik marketlerinden birinde size yardım edecek teknikçilerden biriyle konuşun. Bilmeniz gereken o kadar çok şey var ki, güçlük işte burada. (Akıllı satış elemanları bunu bildikleri için karşınızdaki seçeneklerin sayısını hemen daraltırlar. Bana bir düzine kravat gösterirseniz aklım karışır. Ama üç tane gösterirseniz, genellikle mavi olanı seçerim.)

1970'li yılların başlarında bir psikolog, at yarışı bahisçilerine değişik atlarla ilgili değişik bilgiler verdi. Geçmiş yarışlarda aldıkları sonuçlar, taşıdıkları ağırlık, şecereleri, vb.

İlginçtir ki bahisçiler ellerinde 40 ayrı veriyle, sadece beş veri varken yaptıkları tahminlerden daha kötü sonuç aldılar. Bazı durumlarda "daha az daha çoktur" sözü geçerli oluyor. Her şeyin her şeye bağlandığı küresel bir şebeke şu anda mevcut. Makineler sürekli olarak başka makinelerle konuşuyor. Birbirleriyle bağlantılı gruplar, veri paylaşıyorlar. Ne var ki, üretken olması için bu devasa düzenin bir yapıya ihtiyacı vardır. Bir iş ağının bir bina gibi elle tutulur bir yapısı olmayabilir ama mutlaka doğru yönde akışı sağlayacak ve doğru hedeflere yöneltecek bir yol gösterici olmalıdır.

Bir ya da birkaç kişi, mutlaka gidilecek yön ve varılacak hedefler hakkında kafa yormalıdır. Gelecek için vizyonu olan birileri gereklidir. Sadece veriler sizi buraya taşımaz. Aslına bakarsanız veriler çok kez çelişiktir çünkü bir grubun görüş birliğiyle vardığı nokta, bireysel bir karardan çok farklıdır. Ulusal bir anket yapılsa insanlar kolaylıkla enerji– etkin bir evde yaşamak istediklerini söylerler ama sonra hiç umursamadan gidip oturduklarının üç katı büyüklükte bir ev inşa ettirebilirler.

Araştırmalara inanırım ama araştırmaların bana zaman içinde bir tek anın belli belirsiz bir görüntüsünden, bozuk bir fotoğrafından daha fazla bir şey vereceğini beklemem. Çan eğrileri bana kafamda nasıl bir gelecek canlandıracağımı anlatamaz. Araştırmalar, yarın için kurulacak düşlerin nasıl olacağını gösteremez çünkü bunları kimse bilemez. Eğer ilk otomobilleri yapanlar ulaşımda ne istediklerini halka sorsalardı, herhalde alacakları yanıt "Daha hızlı atlar" olurdu.

Jack Welch yönetimindeki General Electric'te yetişmiş parlak bir yönetici olan Steve Bennett, Intuit şirketinin CEO'su olduğunda, şirketin on işletme ilkesi vardı. Bennett bu on ilkeden sadece birinde, sadece bir tek sözcüğü değiştirdi. Dokuzuncu ilke "Hızlı düşün, hızlı davran" diyordu. Bennett bunu "Akıllı düşün, hızlı davran" olarak değiştirdi. Intuit zaten başarılı bir şirketti, Bennett'in önderliğinde daha da iyi oldu. Düşünmek için biraz zaman ayırmak gerçekten büyük fark yaratır. Gandhi şöyle demişti: "Hayatta, onun hızını artırmaktan başka şeyler de vardır." Başarı sadece daha hızlı davranmaya bağlı değildir. Ama başarısızlık kesinlikle buna bağlıdır.

2. İşlenmemiş Veri, Gerçekleri Örtebilir

20. yüzyılın başlarında klasik fizik, kuantum mekaniğinde meydana gelen ilerlemeler sayesinde bir devrim geçiriyordu. Dünyada her şeyi bilmenin asla mümkün olmadığını söyleyen temel felsefi açılımı anlamak için fizik bilmeye gerek yok. Heisenberg'in belirsizlik ilkesi, gözlemlediğimiz şeyden emin olamayacağımızı çünkü gözlemlediğimiz şeyin, bizzat gözlem sürecinden etkilendiğini söyler. Bir süre önce iki fizikçi, bu sefer belirsizlik ilkesinden de pek emin olamayacağımızı ortaya attı!

Demek ki bir şeyi "biliyorum" dediğimizde, epistemolojik iddialarımızda temkinli olmakta yarar var.

> *"Bizi zor duruma düşüren çok fazla şey bilmemiz değil, işlerin bildiğimizden farklı olmasıdır."*
> –Mark Twain

(Bazıları bunu söyleyenin Mark Twain olmadığını *bilir*. Bunu söyleyen Artemus Ward, Ralph Warldo Emerson ya da Will Rogers'tı. Aslında, *biliyorum* ki, sözün sahibi bu insanlardan hiçbiri değildir; amcam Vern'dür. Biliyorum. Söylediğinde oradaydım.)

BAZEN GÖRMEK İSTEDİKLERİMİZİ görürüz, gerçeği değil de gerçeği gösterdiğine inandığımız verileri görürüz. Ya da gerçeği göstermesini istediğimiz şeyleri.

Doğrulama tuzağı denilen psikolojik bir eğilim vardır. Benimsediğimiz görüşlerin neresinde hata olabileceğine bakmak yerine, bunları doğrulamak isteriz.

Enron şirketi, kendi içindekiler dahil, pek çok insanı kandırdı. Enron çalışanları, şirketin bilançolarında gördükleri hakkında gerçekten kafa yormadıkları için, kolayca kandırıldılar. Gördükleri açıklaması olmayan ve anlaşılmaz rakamların doğru olmasını o kadar çok istiyorlardı ki, hepsini görmezden geldiler. İş dünyasını izleyen medya da aynı onlar gibi alık çıktı. Gerçeğin değil, "sıcak haberlerin" peşindeydiler. İçimizde en akıllı ve deneyimli olanların bile saflıklarını istismar etmeyi bilen sahte tablo ressamları ve her türden üç kağıtçılar her zaman vardır. Bu insanlar bazen gerçeği değil, hayalleri istediğimizi bilirler.

1940'lı yılların sonlarına doğru, Pepsi "Beş sente iki katı" satış yaparken Coca-Cola yöneticileri, üç aylık kasa satışlarının miktarını izleyerek kendilerini kandırıyordu. Kasa satış rakamları da Coca-Cola'nın rakibinden çok daha fazla sattığını gösteriyordu. Tek sorun şuydu ki, bir Coca-Cola kasasında 24 adet 200 mililitrelik şişe varken, bir kasa Pepsi'de 24 tane 400 mililitrelik şişe vardı. Kimse şu bariz soruyu sormuyordu: Madem biz daha fazla satıyoruz, neden Pepsi aradaki farkı giderek kapatıyor? Bu sorunun gerçekliği, Coca-Cola'da büyük şişeye geçişle gelen önemli bir atılıma yol açtı.

Detroit'li otomobil imalatçıları, yıllarca küresel otomotiv sektörünün genel tablosunu görmektense, asıl görmek istedikleri satış rakamlarına bakarak kendilerini kandırdılar. Hatta kalite standartları konusunda bile kendilerini kandırdılar. Önce kendi standartlarını kendileri belirlediler, kalite ölçümlerine kendi istedikleri değeri verdiler, sonra da kendi koydukları standartlara yaklaşabildikleri için kendilerini kutladılar. Japonlar ise standartlarla uğraşmıyorlardı. "Yapabileceğimiz en iyi otomobili yapalım. Sonra onu daha da geliştirelim" dediler. Basit ve çok zekice.

Pazarlama ve iş idaresi konusunda yapılan araştırmaları çok kuşkuyla karşılar oldum. Elbette yararları vardır ama ben inanıyorum ki bunlar çoğu kez yanlış değişkenleri ölçüyor ve bunların değerlendirmesini de yanlış insanlar yapıyor.

Coca-Cola Şirketi açısından klasik örnek, 1985 yılında piyasaya sürülen başarısız New Coke olayıdır. Ürün A ve Ürün B arasında görmeden yapılan birer yudumluk tadım testlerinde, daha tatlı olan ürün beğenilmişti. Buradan hareketle, Coca-Cola'nın yeterince tatlı olmadığı yolunda yanlış bir kanıya vardık.

Ne var ki, görmeden yapılan testler, bir ürün olarak Coca-Cola'nın toplam imajını ve kültürel kapsamını tüm boyutlarıyla hesaba almıyordu.

O dönemde ABD'de Pepsi satışları artıyordu, dolayısıyla Coca-Cola'nın ve özellikle de şişeleme işinin başındakiler, Pepsi'nin neden süpermarketlerde bizden biraz daha iyi durumda olduğunu bulmaya çalışıyordu. Coca-Cola yöneticileri bu nedenleri bulmak için kolları sıvadılar. Reklam harcamalarında ya da dağıtımda sorun yoktu, o halde sorun başka yerdeydi. Bu noktada dikkatler yüz yıllık ürünün kendisinde toplandı.

Araştırmacılar şu soruyu sordu: İçecekte, bulunup düzeltilebilecek herhangi bir değişiklik olmuş muydu? Tam 200 bin tadım testi yapıldı ve hiç kuşkuya yer bırakmayacak biçimde kanıtlandı ki sorun tatlılık sorunuydu. Ancak en sonunda, sorunun aslında hiç de tat olmadığı ortaya çıktı. Veriler gerçeği gizlemişti. Eğer doğru soruları sormazsanız, dünyanın bütün verileri hiçbir anlam taşımaz. Gerçek simgeleşmiş Coca-Cola markasında, daha yoğun heyecan katacak bir unsura ihtiyaç olduğuydu. New Coke bir anlamda bunun yaratılmasına yardım etmişti ama gene de acı bir ders oldu.

Bütçe planlaması da fazla veriden zarar görür. Coca-Cola'nın Atlanta'daki genel merkezinde bulunan bütçe uzmanları yıllardır, çok az işe yarayan ham veriler içinde boğulurlar, ama yine de bunları toplamaya ve bir şirket formülüne göre işlemeye devam ederlerdi. Örnek: "Açık satış departmanı geçen yıl mağaza içi mal alımı için X dolar harcamıştır. Dolayısıyla bu departman gelecek yıl X artı Y dolara ihtiyaç gösterecektir. Planlama buna göre yapılacaktır." Bütçe planlamacıları asla tablonun bütününü gerçek anlamda göremezdi.

1960'ların sonları ve 1970'lerin başında, ben dahil birkaç kişi Atlanta'dan, Houston'da yeni kurulan Coca-Cola Gıda Bölümüne gittik. Dışarıdan geliyor olmamız bizim için avantajdı. Her şeyi farklı merceklerden görmeye ve daha geniş bir tablo oluşturmaya başladık. Zihinlerimiz sorunlara daha uzaktan bakabiliyordu ve operasyonun tümü üzerinde düşünmeye zaman ayırabiliyorduk.

Herkesin gördüğü eşyaları biz de görüyorduk. Ama biz biliyorduk ki kanepeyi alıp başka bir yere koymak mümkündür.

3. Düşünmek İçin Zaman Ayırmamak Düpedüz Aptallıktır – Hatta Tehlikelidir

> *"İleri, Hafif Süvari Tugayı*
> *Korkan mı vardı,*
> *Hayır, bilse de askerler*
> *Hata yapan birinin varlığını;*
> *Cevap onlara düşmezdi,*
> *Akıl yürütmek değildi onların harcı,*
> *Onlara düşen başarmak ve ölmekti:*
> *Ölüm Vadisine doğru*
> *At sürdü altıyüzü de."*
>
> –Alfred Lord Tennyson

HAFİF SÜVARİ TUGAYI ölüm vadisine doludizgin at sürdü çünkü komutanları bir an durup düşünmemişti. Askerlerin hepsi körü körüne onları izledi. Askerlerin kendileri adına düşünmeleri beklenmiyordu ama önderleri düşünmeliydi. Şurası her ne kadar aşikarsa da, yine de hatırlatmakta yarar var. İnsan dikkatli bir değerlendirme, temkinli ve titiz bir analiz yapmak yerine, durmadan eski verileri tarayıp daha önceki deneyimlere dayanan acele sonuçlar çıkarırsa, ne savaşta ne de başka bir alanda gerçek bir ilerleme elde edemez.

Düşünmeye zaman ayırmak bir lüks değildir. Bir gerekliliktir. Goethe şöyle demiştir: "Eylem kolaydır, düşünce zordur." Halbuki eylem çoklukla, hatta çoğunlukla kendi başına bir işlev kazanır. Mantığı överiz ama eyleme tutsak oluruz. Ne de olsa duyguları olan yaratıklarız ve bir kez eylem başladı mı, belli bir çabanın heyecanına kapılırız ve durmakta zorlanırız. Karar verme sürecinde, toplu temenni yönünde bir eğilim oluşur ve herkes bir şeylerin olması için öylesine heveslidir ki, aklı başında düşünmek neredeyse imkansız hale gelir.

Şirket alımları ve birleşmeleri alanında milyarlarca dolarlık anlaşmalar hız kazandıkça ivme de artar, oyucular arasındaki rekabet ön plana çıkar ve oyun–ki gerçekten bir oyuna dönüşmüştür–artık her şeyin mubah olduğu bir ortamda devam eder. Biri mutlaka kazanmayı aklına koymuştur! Zaferi çok yakınında hissediyordur! Ortadaki o kadar para, anlaşmanın dayandığı güya o sağlam mantık, işin içindeki onca insan... Artık kazanmaktan başka hiçbirinin önemi yoktur! Odadaki en büyük ego, "Benim dediğim olacak" der. Basın toplantılarının odağı ve Wall Street Journal gazetesinde manşet olma hayalleri kurulur. Her şey son derece görkemlidir. Rakamların güvenilirliği yıldız fallarından daha fazla olmasa bile, kendimizi hesapların doğru olduğuna inandırırız. John Maynard Keynes'in sözünü ettiği "hayvani ruhlar," iş dünyasında pek çok kişinin itiraf etmekten hoşlanmayacağı ölçüde güçlüdür. Son zamanlardaki tatsız şirket birleşmelerine bakın. Daimler ve Chrysler, Time Warner ve AOL, Kmart ve Sears, Quaker Oats ve Snapple. Bunlar gerçekten olmalı mıydı? Bu şirketlerin tatmin edici olmayan sonuçları kolaylıkla tahmin edilebilirdi ama insanlar anlaşmalara kendilerini öyle kaptırdılar ki, en tepedekilerden en aşağıdakilere kadar hiç kimse ne doğuracakları sonuçları, ne de o sonuçların sonuçlarını düşünmedi. Elbette ki işin içindeki bazı kişilerin kısa vadeli çıkarları her zaman bir etken olacaktır ama her şirket faaliyetinin, hissedarların yararı ve itibarları üzerinde yaratacağı uzun vadeli sonuçlarını öngörecek birileri de mutlaka bulunmalıdır.

Birleri şöyle bir durup düşünmeye zaman ayırmadıkça, aynı hataları tekrar tekrar yapmak çok kolaydır. Ve bu da başarısızlığın şaşmaz reçetesidir. Ortada herhangi bir başarısızlık varsa suçu üstüne atacağınız birini arayın, ya da mazeretler bulun, hatta birini cezalandırın. Böylece durup düşünerek başarısızlığın nedenini irdelemeniz gerekmeyecektir. İyi hastaneler genellikle yaptıkları yanlışlardan dersler çıkaracakları ölüm oranı değerlendirme toplantıları yaparlar. Çünkü onların vakalarında yaşam ve ölüm söz konusudur. Şirketlerin ise pek çoğunun böyle büyük önem taşıyan işlerle ilgisi yoktur. Ama her yanlış, pek de başarılı olmayan bir teknik değişimi, ya da yapılan bir pazarlama gafını, etraflıca düşünmek ve olanı biteni olabildiğince nesnel bir gözle değerlendirmek için gerçek bir fırsat yaratır.

İşini gereği gibi yapan her yönetim, zaman zaman tökezleyecektir. Ama ille de başarısız olmak isterseniz, hataların hiçbirini dikkatle incelemeyin ve analizini yapmayın. Böylece aynı hatayı gelecekte de durmadan yaparsınız.

Daha da başarısız olmakta kararlıysanız, düşünmeye asla zaman ayırmamanız çok büyük önem taşır. Ya da geçekten hoş bir diğer yönteme başvurabilir ve sizin yerinize düşünecek bir başkasını bularak sorumluluğun hemen hepsinden sıyrılabilirsiniz. Böylece geldik yeni bir emre...

Yedinci Emir

Sadece Uzmanlara ve Dışarıdan Danışmanlara Güvenin

> *"Soruların bazılarını bilmek, cevapların tamamını bilmekten iyidir."*
>
> -James Thurber

DELİKANLILIĞIMDA Sioux City'deki büyükbaş hayvan depolarında çalışırken bazı celeplerle tanışmıştım. Bir gün bunlardan biri, kendisi için boğa alıcısı olarak çalışmamı teklif etti. Boğalar, büyük ağıllara teker teker getirilir ve hepsi değişik yerlerde tutulurdu. Bu hayvanlar üreme işlevini kaybettikleri zaman kasaplık olarak satılırlardı. Ancak pek çok alıcı, satın alacak boğa seçmek için bir oraya bir buraya giderek zaman harcamaktan pek hoşlanmazdı. Halbuki, her yanı dolaşıp bir vagonu dolduracak 15, 20 kadar hayvan seçmekten yüksünmeyecek enerjik bir öğrenci, komisyon olarak günde 20 dolara kadar çıkan gayet iyi bir kazanç elde edebilirdi.

Böylece yaz mevsimi boyunca, Michigan takımının ünlü futbolcusu Tommy Harmon'un amcası olan Doyle Harmon adındaki celep için boğa alıcı olarak çalışmaya başladım. İşe başladığım ilk gün, Harmon yanıma gelip seçtiğim boğalara baktı. Boğalardan birkaçına fazla para ödemiştim. Harmon, çevremdekilerin hepsinin satıcı olduğunu, beni genç gördükleri için hoş davranıp pohpohlayarak dikkatimi dağıtmaya kalkacaklarını söyledi ve bir çizim gösterip boğa seçerken nelere dikkat etmem gerektiğini anlattı. Kim ne derse desin, uymam gereken bu temel koşullardan sapmamalıydım. "Gözün daima boğada olsun, adamda değil" dedi.

Bu basit tavsiye iş dünyasında geçirdiğim uzun yıllarda, hatta yatırım bankacılığıyla uğraştığım bugünlerde bile hiç aklımdan çıkmadı. Her zaman ürünle sunumu birbirinden ayırmaya dikkat ettim. Bunu yapmak kolay gözükebilir ama değildir. Ne kadar deneyimli ve bilgili olduğunuzu düşünürseniz düşünün, gözlerinizi bir an için bile boğadan ayırıp dikkatinizi adama verirseniz, kendinizi en olmadık işlerin içinde bulabilirsiniz. Altıncı Emir'de, eğer durup düşünmeye zaman ayırmazsanız başarısız olacağınızı söylemiştim. Bir de birilerinin sizi pohpohlamasına izin verirseniz, hatırı sayılır bir başarısızlığa uğramanız kesindir. Zaten iltifatı bir satış aracı olarak kullanacak, yüzünüze gülen dolandırıcılara hemen her sektörde rastlamak mümkündür.

Dolandırıcı diyerek biraz haksızlık etmiş oluyorum. Bu insanların çoğu, ister pazarlama uzmanlığı olsun, ister yönetim stratejileri ya da yeni bir girişim için araştırma olsun, size önerdikleri şey neyse, bunu samimiyetle yapıyorlardır. Çoğu genellikle üstün niteliklere sahiptir ve konularında mutlak otoriteymiş gibi davranırlar. Etkileyici PowerPoint sunumlarında verilen kesin yanıtlarla donatılmışlardır. Ne var ki bu yanıtların en büyük sorunu, yanlış soruların yanıtları olmalarıdır.

Durmadan gösterişli yönetim danışmanlığı sunumlarına maruz kalanlar için, "Adamı bırak, boğaya bak" öğüdü çok yerinde bir öğüttür.

Coca-Cola Şirketi'nden yıllar boyu hem şirket elemanı, hem de dışarıdan danışman olarak, kendini uzman tanıtan pek çok kişi geldi geçti. Zaman zaman bu kişiler, aklımızın tersini söylemesine ve içgüdülerimizin bizi uyarmasına rağmen, bizi bazı şeyleri yapmaya ikna ettiler ama her kusurlu insan gibi bizim de zayıf anlarımız oluyordu elbette.

Danışmanlar Coca-Cola'yı yönetenlere, yıllardır şirketin değişik alanlara yönelmesi gerektiğini söylüyordu. Ana sektörümüz olan meşrubat ve meyve suları, gelecek için bizi sağlama almaya yeterli değildi ve bizimle uyumlu olacak ancak farklı alanlardan satın alınacak şirket aramalıydık. Bu danışmanlar aynı zamanda satın alınacak bazı şirketler tavsiye ediyordu. Bunlardan biri gayet güzel bir şarap şirketiydi. Sonunda Coca-Cola danışmanlarının tavsiyesine uyup bu şirketi satın aldı.

Şarap şirketini satın almamız çok iyi olmuştu. Şirketin gayet becerikli idarecileri vardı ve Wine Spectrum adında bir başka birimi de yönetiyorlardı. Şirket yemeklerinde, kokteyl partilerde kendi malımız olan şişeleri masalarda görmek bizim yöneticilerin pek hoşuna gidiyordu. Coca-Cola'nın üst yöneticileri Wine Spectrum'la fazla ilgilenmiyorlardı. Sanki evde besledikleri kedi-köpek gibi görüyorlardı.

O tarihlerde 80 yaşını epeyce geçmiş olan Robert Woodruff, günlük işlere karışmıyordu ama etkisi hâlâ büyüktü.

"Benim şirket" dediği Coca-Cola'nın girdiği şarapçılık işini bizzat yakından görmeye karar verdi. (Woodruff ölene kadar Coca-Cola'yı kendi şirketi olarak gördü.)

Ve bu yaşlı beyefendi doktorunu ve birkaç dostunu yanına alıp şirket uçağıyla California'ya gitti. Döndükten sonra Woodruff, CEO Roberto Goizueta ve ben öğle yemeği yedik. Hatırladığım kadarıyla şunları anlatmıştı:

"Doğrusu şarap işi ilginçmiş. Bağları görmek için California'ya gittim.

Anlaşılan bir bağdan üzüm alabilmek için beş ya da altı yıl beklemek gerekiyormuş. Çok sayıda işçi de bu yıllar boyunca bağların bakımını yapacak ve iyi ürün olması için havanın güzel gitmesine dua edecekler. Sonunda her şey yolunda gitmişse, üzümleri toplayıp suyunun sıkılacağı tesislere götürecekler ve büyük ve çok pahalı paslanamaz çelik tanklara doldurarak fermente olması beklenecek. Bu pahalı tanklardan çıkınca şarap yine aynı derecede pahalı Fransız meşesinden yapılma fıçılara konuluyor. Bu fıçıların tanesi 55 dolar. Bundan sonra bu küçük ve pahalı fıçılardaki şarabın eskimesi bekleniyor. Bu arada şarabın yüzde 15'i de buharlaşıyor.

Her neyse, bir süre eskidikten sona şarap şişeleniyor. Bu arada bir de vergi ödeniyor ve şarap biraz daha yıllanması için yeniden bekletiliyor. Yıllarca bekledikten sonra ve süreçte her şey yolunda gitmişse ve ürün de iyiyse, sonunda şişeleri raflarında yüzlerce başka şarap duran perakendeciler gönderebiliyorsun. Ondan sonra o çeşit çeşit şişeler arasından biri gelip de senin şarabını alsın diye dua ediyorsun. Benim hayatımı geçirdiğim işte, şişeleri sabah doldurup öğleden sonra satarsın ve satış yaptığın pek çok yerde de rakibin yoktur. Bana kalırsa bizim yapmamız gereken iş bu olmalı!"

Bay Woodruff'ın sözleri Roberto'yu da beni de uyandırmıştı. Bütün danışmanların ne kadar iyi bir alan olduğunu söylemelerine ve ABD şarap sektörünün hiç de küçümsenmeyecek bir oran olan yüzde 11'ini almış olmamıza rağmen, bu işe daha yakından bir bakmaya karar verdik. Şirketteki yönetim görevlerimize başladıktan kısa bir süre sonra, 1981'in başlarında Wine Spectrum'un yöneticileriyle bir araya geldik. Kendilerinden, o andan 1990 yılına kadar alacakları her kararın kusursuz olacağını varsaymalarını istedik. Mantık sınırlarını aşmayacak kadar yüksek tutabilecekleri satış hacmi ve kâr projeksiyonlarının ne olacağını ve yatırdığımız sermayenin 1990 yılındaki getirisinin ne kadar olacağını sorduk. Alacağımız bu bilgiye dayanarak, bu şirketi büyütmek ya da satmak konusundaki kararımızı verecektik. Yöneticilere, şarap işinden çıksak bile, şirkette onlara bir yer olacağı güvencesini verdik.

Şarap yöneticilerinin hepsi, alınabilecek en iyi sonuçlarla bile, sermaye yatırımının getirisinin, sermaye maliyetiyle aynı veya daha düşük olacağı görüşündeydi. O zaman durup düşündük. Bu sektörde kalmak istiyor muyduk?

Peki, şirketi ne yapacaktık?

Şanslı olmak her zaman iyidir ve Coca-Cola'nın da şansı genellikle yaver gitmiştir. Şarap işinde düzgün bir kârı nasıl sağlayacağımızın belli olmadığına karar vermemizden kısa bir süre sonra Seagram's şirketi bizi aradı. Bizim Wine Spectrum'la ilgileniyorlardı. Böylece biz güya "istemeye istemeye" müzakerelere oturduk ve iki taraf için de çok olumlu sonuçlanan güzel bir anlaşma yaptık.

Gözlerinizi boğadan ayırırsanız başarıyı kaçırırsınız. Benim başıma geldi.

Coca-Cola America yönetiminin getirdiği New Coke önerisi, bizi bu öneriyi ciddiye almaya ikna edecek nitelikteydi. Roberto ve ben, ABD piyasa araştırma grubunun yaptığı çok sayıdaki testlerin, üründe tamamen yepyeni bir formül kullanmaya geçmemiz için sağlam bir gerekçenin mevcut olduğunu gösterdiğini söyleyen danışmanlara ve uzmanlara inandık. Haftalar süren değerlendirmelerden, tartışmalardan sonra Roberto ile birlikte projeye desteğimizi verdik. Danışmanlar ve uzmanlar, üründe değişiklik yapmanın rekabetçilik açısından çok parlak bir adım olacağına bizi ikna etmişlerdi.

Proje kabul edildi. Daha çok test yapıldı. Daha çok uzman işe karıştı. Kontrol grupları, test piyasaları ve rasgele örneklemeler kullanıyorduk. Hepsinde New Coke açıkça çok başarılı bir ürün olarak gözüküyordu. Roberto'nun da benim de içgüdülerimiz bize Amerikan mirasının simgelerinden bir olmuş bu markayla oynamamamız gerektiğini söylüyordu ama uzmanların ortaya koydukları kanıtlar aşılacak gibi değildi. Karar süreci giderek daha önce sözünü ettiğim bir toplu temenni çalışmasına döndü. Bir fikir öyle heyecan verici bulunur ve o kadar çok insan tarafından doğru bulunur ki, isteseniz de istemeseniz de, bir ekip kararı haline gelir. New Coke öyle bir ivme yakalamıştı ki, hiç kimse oyunbozan olmak istemiyordu. Çekincelerimize rağmen Roberto ve ben de bu büyük değişikliği yönlendiren dalgaya kapılmıştık. Projeye yüzde yüz destek verdik. Bu büyük olayı paylaşan hepimizin duyduğu heyecanlı bekleyiş, neredeyse elle tutulur hale gelmişti.

Şirket New Coke ürününü 1985 yılı Nisan ve Mayıs aylarında tüm ülkede piyasaya sürdü. Yükselen heyecanı daha da beslemek için, bandolardan balonlara kadar elimizdeki tanıtım araçlarının hepsini New Coke'un reklamı için seferber etmiştik.

Bayağı büyük olay oldu. Dünya tarihi çerçevesinde o kadar önemli olmasa da, o günlerde kesinlikle dünya çapında bir haber olmuştu.

Duyurunun hemen arkasından başlayan şikayet telefonları, Atlanta'nın telefon hatlarını kilitledi. Birkaç hafta içinde, hepsi olumsuz olan 400 binden fazla telefon ve mektup almıştık. Uzmanlarımız, taviz vermememiz için ısrar ediyorlardı.

Idaho'lu bir avukatın mektubu Roberto ve bana hitaben yazılmıştı. "Beyler, ikiniz de lütfen bu mektubun altını imzalar mısınız? Çünkü yakında büyük bir servet değerinde olacak. Mektubun altında Amerikan iş tarihinin en aptal iki yöneticisinin adı olacak," diyordu. Böyle mektuplar insana haddini bildirmek için birebirdir.

Protestocular ta Seattle'a kadar örgütleniyorlardı. Burada Amerika'nın Eski Coke İçicileri adıyla oluşan bir örgüt, New Coke'a karşı düzenledikleri gösteriye 5 bin kişi toplamıştı. Tonight Show programında Johnny Carson, Twinkie keklerinin de değiştirilip, ıspanaklısının çıkarılacağını söyledi.

Değişimi en çok destekleyenlerden olmalarına rağmen, ABD'deki şişeleyicilerden bazıları, New Coke'a kızan üyelerin tacizleri yüzünden artık kulüplerinde golf oynayamadıklarından şikayet ediyorlardı. Şişeleyicilerin satış elemanları, sözlü saldırıya uğradıkları için artık bakkallara girmeyi reddediyorlardı. İnsanlar kamyonetlerle süpermarketlere gidip eski Coca-Cola stoku yapıyordu. Kitlesel bir çılgınlık yaşanıyordu.

Bizim araştırma bilgeleri ve uzmanlar ise, zamanla her şeyin çözümleneceğini söylüyorlardı. New Coke müthiş başarılı olacaktı. Şikayetlerin hepsi, Coke adını basının gündeminde tutmaya yarıyordu.

Haziran sonlarında, dünyadaki en büyük 25 Coca-Cola şişeleyicisiyle yaptığımız toplantıdan sonra ben ve Roberto, eşlerimizle birlikte Monaco'nun hemen dışında küçük bir İtalyan restoranındaydık. Restoran sahibi, Coca-Cola'dan olduğumuzu duymuştu ve biz masamıza oturduktan hemen sonra, elinde en iyi sofra şarapları için kullanılan ve üstü kırmızı kadife örtüyle örtülü bir hasır sepetle yanımıza geldi. Örtüyü kaldırınca altında bir Coca-Cola şişesi gördük. Bozuk İngilizce'siyle, sanki bize bir şişe çok ender ve yıllanmış bir konyak gösterir gibi, "Gerçek Cola budur." dedi. Coke için yapılan o kadar bedava reklama rağmen o an ikimizin de aklına yer etti.

Ancak beni bir şeyler yapmanın gerekli olduğuna ikna eden, 85 yaşında bir hanım oldu. California eyaletindeki Corvina'da bir huzur evinden şirkete telefon açmıştı. Tesadüfen çağrı merkezini ziyaret ederken, telefonu ben açmıştım. "Coke'umu elimden aldınız," diyordu ağlayarak. "En son ne zaman Coke içtiniz?" diye sordum. "Bilmem. 20, 25 yıl önce." "Öyleyse neden bu kadar üzülüyorsunuz?" diye sordum. "Genç adam, siz benim gençliğimle oynuyorsunuz ve buna hemen bir son vermelisiniz. Coke'un benim için ne demek olduğunu hiç anlamıyor musunuz?"

Artık gün gibi açıktı ki karşımızdaki sorun bir lezzet ya da pazarlama sorunu değildi. Uzmanların hepsi de, ellerindeki veriler de bizi yanıltmıştı. Bu ciddi bir psikolojik sorundu. Bir markayı tanımlayan, sizin veya benim düşündüğüm şey değildir. Markayı tanımlayan, tüketicinin kafasında yerleşmiş olan neyse odur. Coca-Cola bu kadar değişik kültürlerde, böylesine farklı bireyler tarafından tüketildiği için, her insan onu farklı tanımlar.

Sonuçta anlamıştım ki, New Coke'u Amerikan pazarında kabul ettirmek için bir servet de harcasak bunu başaramayacaktık. Roberto da aynı karara varmıştı. Amerikan tüketicisi ne istediğini açık seçik ifade etmişti: Coca-Cola onların ürünüydü ve onu geri istiyorlardı. Biz de aynı fikirdeydik. Televizyona çıktım ve eski Coca-Cola'yı, "Coca-Cola Classic" adıyla geri getireceğimizi açıkladım. Sunucu Peter Jennings, ABC kanalının çok popüler dizisi General Hospital yayınını keserek Coca-Cola'nın eski formülüne geri döneceği haberini duyurdu. Önde gelen bütün radyo ve televizyon istasyonları, bültenlerinde ana haber olarak verdiler. Gazeteler baş sayfalarında büyük manşetlerle bastılar. Amerika coştu. Çiçekler, aşk mektupları yağıyordu. Hikayenin sonu Frank Capra'nın filmlerindeki klasik son gibi gelmişti. Büyük şirket bir karar alır, halk isyan eder, şirket geri adım atar ve insanlar kazanır. Tüketiciler Coca-Cola'larına kavuştular ve satışlar tavanı deldi geçti. Tüketiciler sadece bizi bağışlamakla kalmamış, aynı zamanda bize hayran da kalmıştı. Bu olay siyasetçilere de ders olmalıdır. Hata yaptığınızı kabul etmenin, yanılmaz olmadığınızı itiraf etmenin mutlaka karşılığını alırsınız. Amerikan halkı çok bağışlayıcıdır.

Tabii, bizim bu duruma düşmemize yardım eden uzmanlar, başkalarına "yardım etmeye" gittiler.

Sağduyu diye bir şey var. Bazı uzmanların uzmanlıkları artık o kadar çok kez çürütülmüştür ki, hiçbir yerde kabul görmemeleri gerekir.

Philip Tetlock uzun zamandır dünya politikasındaki uzman görüşlerini incelemektedir. Şuna dikkat çekiyor: "Sovyetler Birliği Komünist Partisi'nin 1993 yılında aynı güçle iktidarda kalacağını, Kanada'nın 1997 yılında sonunun geleceğini, Pretoria'da 1994 yılına kadar neo-faşizmin yerleşeceğini, EMU'nun 1997 yılına kadar çökeceğini... Körfez Krizi'nin barışçı yollardan çözümleneceğini düşünen ne kadar uzman varsa, bir o kadarı da bu görüşleri paylaşmıyordu."*

Tetlock'a göre uzmanların, kendi tahminlerinin doğru-

---

* Philip Tetlock'un "Theory-Driven Reasoning About Plausible Pasts and Probable Futures in World Politics"adlı makalesinden alınmıştır.

114

luğuna güvenleri yüzde 80 oranındaydı. Öngörülerin doğrulanma oranı yaklaşık yüzde 45'ti. Yani yazı tura atsalar da olurmuş.

Bu uzmanları izlemeye devam ettikçe şu dikkat çekici nokta ortaya çıkıyordu. Tetlock'a göre, yanıldıklarını gösteren su götürmez kanıtlara rağmen, durumu kavrayış biçimlerine olan inançlarını kaybetmeye asla yanaşmıyorlardı. Üstelik bir sürü bahane uyduruyorlardı. "Hemen hemen haklıydım–henüz olmadı ama olacak–deprem gibi hiç öngörülemeyen etkenler ortaya çıktı–eldeki verilere bakılırsa haklıydım."

Aylardan Ekimdir ve bir Kızılderili kabile reisi kışın sert geçeceğini düşünmektedir. Kabilesine yakacak odun toplamalarını söyler. Tahminini doğrulamak için de Ulusal Meteoroloji Hizmetlerini arar ve görevli meteorologa sert bir kış beklenip beklenmediğini sorar. Görevli "Elimizdeki göstergeler bu olasılığa işaret ediyor" der. Reis kabilesine daha fazla odun bulmalarını söyler. Bir hafta sonra meteorolojiyi yine arar ve bu kez ağır bir kışın yaklaşmakta olduğunu söylerler. Reis Kızılderililere bulabildikleri en küçük odun parçalarını bile toplamalarını söyler. İki hafta sonra yine meteorolojiyi arar ve şöyle sorar: Bu kışın soğuk geçeceğinden emin misiniz?" "Kesinlikle," diye yanıt verir meteorolog, "Kızılderililer deli gibi odun topluyor".

YANILIYORLAR, bir daha yanılıyorlar ama dönüp dolaşıp yine şirketlerde ve hatta devlet kurumlarının koridorlarında boy göstererek, yeni uzman gözlemlerini, yeni tahminlerini, yeni bir terminolojiyi ve eskiden bozma yeni fikirlerini pazarlamaya devam ediyorlar.

Daha kaç tane moda çıkacak? X teorisi. Y teorisi. Kaos. Hedeflerle yönetim, Bir–dakika yönetimi. Toplam kalite yönetimi. Azami performans. Yetkilendirme. Küçülme. Yükseltme. Alçaltma.

Herkes sürekli bir yeniden düzenleme içinde. Asıl yaptıkları da dili yeniden düzenlemek. Bir süre önce bir yöneticinin bazı personele, işten atma anlamında "serbesti" vermekten söz ettiğini bile duydum.

Peki ya matris yönetimi nedir? Anlayabildiğim kadarıyla matris sayesinde bir kişi, üç hatta daha çok sayıda amire karşı sorumlu olmanın zevkini tadabilir.

Bilişim krizinden önce sıklıkla "yanma oranı" diye bir terimden söz edildiğini duyuyordum. Bu bizim, bir daha geri gelmemek üzere başkasının parasını harcamak dediğimizden başka bir şey değil.

Bunlar eğlenceli olsa da, uzmanlara tapınmanın çok ciddi ve bazen de çok geniş kapsamlı başarısızlıklara yol açtığı doğrudur.

John Meriweather ve Long - Term Capital Management şirketini ele alalım.

Piyasalarda yükselişlerin yaşandığı 1980'li yıllarda Meriweather en başarılı olanlar arasındaydı. Yatırım bankası Salomon Brothers'ın kârını artıran bir bono işlemcileri grubunu yönetiyordu. 1994 yılında Meriweather, ikisi de Nobel ekonomi ödülü kazanmış olan Myron Scholes ve Robert Merton ile Long - Term Capital Management'ı kurdu. Bu, hedge fon denilen bir sistemde, büyük ölçüde düzenleme ve denetleme dışı bir yatırım havuzuydu. Müşterileri çok büyük zenginlerdendi. Ortaya attıkları parlak teoriler pek anlaşılmasa da hayranlıkla karşılanıyordu çünkü bu teorilerin yanlış çıkması imkansızdı! Üç yıl boyunca muhteşem, neredeyse inanılmaz sonuçlar elde edildi. 1998 yılına gelindiğinde, büyük bölümü borç olan yaklaşık 90 milyar dolar yatırım yapmışlardı. Ama kimsenin kaygısı yoktu. İşin başındaki uzmanlar ne yaptıklarını biliyorlardı.

Şirket çökünce, ABD Merkez Bankası devreye girdi ve alıcılar arasında alelacele oluşturulan bir konsorsiyum eliyle bir kurtarma operasyonu hazırladı. Amaç, sözleşmelerle bağlanmış trilyonlarca doları etkileyecek ve tüm dünyada piyasa güvenini sarsacak darmadağın bir çöküşü önlemekti.

Bu üç kişinin tasarlayıp rahatça sattıkları parlak sistem, aslında dev bir rulet oyunundan fazla bir şey değildi. Ama insanlar uzmanlara inanmaya o kadar hazırdılar ki, bu üç kişinin ortaya attığı saçma sapan plan, Wall Street'in en akıllı adamlarından bile kabul görmüştü.

Daha yakın bir tarihte yani 2007'de, finans piyasalarının subprime kredilerin taşıdığı riski çok büyük ölçüde göz adı eden istatistiksel modeller kullandıkları için başlarını derde soktuklarını gördük. Soruna "model hatası" dediler.

Bu model hatası değildi. Bu insan hatasıydı. Bir parça sağlam içgüdüsü olan herkes, ölçülebilir geri ödeme imkanına sahip olmayan bu kadar çok kişiye bol keseden borç vermenin, yanlış bir iş olduğunu tahmin edebilirdi. Ama finans dünyasının dahileri, durmadan sihirli fasulyeler ekmeye devam ediyordu. Para ağaçları büyümeyince de herkes pek şaşırdı. Ne budalalık!

Deha gibi görünen şeyin dar perspektifi, çoğu kez bilgeliğin tersidir.

Bu, özellikle büyük kurumların yönetiminde geçerlidir. Yöneticilik bir bilim değildir, bir beceridir. İnsan davranışını matematikselleştirmeye ve sayılara dökmeye çalışanlara karşı dikkatli olun. Coca-Cola Şirketi'nde insanları sadece bir sayı olarak gören yöneticiler ve danışmanlar oldu. Bunlar başarılı olamadılar. Her şeye bir rakam veremezsiniz. Benim düşünceme göre bu, hayal gücünün çalışmaması demektir.

Bir şirketi, aynı sektördeki bütün diğer şirketler karşısında görece olarak değerlendirmeye kalkıp, o sanayideki ortalamalara dayalı kâr maksimizasyonu yapmayı düşünen pek çok uzman da gördüm. Bu çok büyük bir hatadır çünkü bir sanayideki her şirket, ortalama olmaya değil, kendi farklılığını yaratmaya ve bir biçimde diğerlerinden değişik olmaya çaba göstermelidir. Benim için Coca-Cola asla bir meşrubat şirketi olmadı. Benim zihnimde hep "Coca-Cola Şirketi" oldu ve hâlâ da öyledir. Diğerleri de bizden öncekilerin ısrarla tanımladığı gibi "taklitçiler" değildir. Onların farkı, sattıkları malın Coca-Cola olmamasıdır.

Büroma girip çıkan bütün o pazarlama ve finans dehalarını dinleyerek geçirdiğim her günün sonunda ekonomist Ludwig von Mises'e bir kez daha hak verirdim: "İstatiksel sayılar bize geçmiş ve tekrarlanmayacak bir olayda ne olduğunu anlatır."

Ancak şunu da belirtmeliyim ki, kendi yetkisini yeterince güvenle kullanamayan bir yöneticinin zaten verdiği bir kararı doğrulamak için danışmanlara ve dışarıdan uzmanlara başvurulduğu da çok olur. Kurucusu Walter P. Chrysler'in ölümünden sonra Chrysler'de meydana gelen olaylar bence çok ilginçtir. Yöneticilerin kendilerine güveni o kadar azdı ki, bir durumda kendisi olsa ne yapardı diye Chrysler'in ruhuna sormak için ruh çağırma seansları yapıyorlardı. Kendisiyle temasa geçip geçmedikleri bilinmiyor. Fakat geçseydiler herhalde Chrysler hepsini kovardı.

Şirket birleşmeleri ya da küçülmelerden sonra genellikle görülen yeniden yapılandırmaları yürüten yöneticiler, çoğu zaman işten çıkarma gibi tatsız bir işlemle yüzleşmek zorundadır. Mağdur olacak insanlara bunu dürüst ve açık bir biçimde anlatmak yerine, bazen suçu dışarıdan bir firmanın hazırladığı yeni iş planına atarlar. Bence bu korkaklığın dik alasıdır. Eğer yeni iş planını yaptıran sizseniz, bu plan sizin sorumluluğunuzdur. Yani sorumlu sizsiniz. Sonuçta yetkinizi üçüncü taraf olan bir uzmana devrediyorsanız, o zaman yeni planı uygulamayı zaten başaramayacaksınız demektir.

İnsanları işten çıkarmak dahil, hiçbir kötü haberin e-posta, iç yazışma ya da telefonla verilmemesini daima kural edinmişimdir. Sert psikolojik etkisi olabilecek her konu, yüz yüze iletişim gerektirir.

Jack Welch, General Electric hissedarlarına yazdığı son mektupta şu öğüdü vermişti: "Kuruluşunuzdaki bürokrasiden nefret etmelisiniz."

Geldik bir sonraki emre.

Sekizinci Emir

Bürokrasinizi Sevin

1973 yılında yeni icracı başkan yardımcısı olarak Houston'dan Atlanta'daki Coca-Cola genel merkezine ilk geldiğim gün, yıllardır sekreterim olan Florence Kalinowski'yi gözyaşları içinde buldum. Büroyu hazırlamak için benden birkaç gün önce gelmişti ama yapamamıştı.

Neden mi?

Çünkü kurşun kalem vermemişlerdi.

Houston'daki daha küçük ve daha sade Gıda Bölümü'nde kurşun kalem gerektiğinde Florence, koridorun sonundaki malzeme odasına gidip alırdı. Atlanta'da ise, talep formu doldurması gerektiğini, kendisinde bu formlardan olmadığı ve artık saat akşama yaklaştığı için bu formları alacağı kişinin de eve gittiğini söylemişler. Bu Florence için bardağı taşıran son damla olmuştu. Çünkü tam iki gündür fotokopi makinesini kurdurmak, telefonları bağlatmak, antetli kağıtları değiştirmek, daha büyük bir dosya dolabı edinmek ve bir sürü benzer konuda genel merkez bürokrasisiyle boğuşmuş ve sonunda artık dayanacak hali kalmamıştı.

Ağlayarak, "Hiçbir işi halledemiyorum" diyordu. "Kendi aldığım zımba makinesine tel bile alamıyorum."

Florence'ı eve gönderdim ve karım Mickie'yi arayıp bugün bir işe başlayamayacağım için akşam yemeğini erken yiyip sinemaya gitmeyi önerdim.

Eğer hiçbir şey yapılmamasını istiyorsanız, idari konulardaki kaygıların her şeyin üstünde tutulmasını sağlayın. Bürokrasinizi sevin!

Bürokrasi sözcüğü ilk kez 18. yüzyılın ortalarında Fransızca ekonomi yazılarında ortaya çıktı. Çalışılan yer demek olan "büro" ve yönetim anlamına gelen "kratik" sözcüklerinden oluşuyor. Bürokrasinin iyi ve kötü yanları 19. ve 20. yüzyıl siyaset bilimcilerinin pek çoğu tarafından enine boyuna tartışılmıştır. Tahmin edeceğiniz gibi kötü yanları ağır basmıştır. Aksiliğiyle tanınan İskoç siyasetçi Thomas Carlyle bürokrasiyi, "Avrupa kıtasının baş belası" olarak nitelemiştir.

Ancak bürokrasinin iyi yanları olduğunu, hatta gerekli olduğunu düşünenler de vardı. Tarihsel olarak bürokrasi, muhtemelen her büyük girişimin yürütülmesinde devreye giren zorunluklardan doğmuştu.

İlkel kabile toplumlarında liderlerin kendi güçlü ve sürükleyici kişilik özellikleri sayesinde başa geldiklerini varsayabiliriz. Maori savaşçıları gibi eğer gözlerinde yeterli ateş varsa, kabile şefi ya da savaş beyi olarak başa geçebilirlerdi. Ne var ki toplumlar giderek daha karmaşık bir yapıya geçtikçe, karizmatik liderlik muhtemelen yetmez olmuştur. Ne Çinliler, ne Mısırlılar ne de Romalılar eski imparatorluklarını bir tür bürokratik örgütlenmeye sahip olmadan kurmuş olamazlar. Kölelik sistemi olan toplumlarda bile, kaba kuvvetle bütün ayrıntıları yerine getirmek olanaksızdı.

20. yüzyılın başlarında Alman sosyolog Max Weber, büyük toplumsal örgütlenmelerde, zaman içinde yetkide hiyerarşik düzenlemelerin resmiyet kazandığına işaret etti. Bu düzende yazılı kurallar, özelleşmiş eğitim ve en önemlisi belirli unvanları ve işlevleri olan özel mevkiler, yani ofisler ortaya çıkıyordu.

İnsanoğlunun buluşları arasında benim için en dikkat çekici olanları, hayatımızda var oldukları ve merak edilecek bir yanları olmadığı için hiç üstünde durmadıklarımız olmuştur hep. Örneğin binlerce yıl önce para fikrini ilk bulan kimdi? Gümüş, altın, deniz kabuğu, boncuk gibi küçük şeyleri, somut mallar karşılığında kullanmak ne kadar harika bir fikirdir! (Para konusunda daha söyleyeceklerim olacak.)

Bence bir bürokrasideki ofis, yani mevki fikri de aynı ölçüde parlak bir fikirdir.

Weber'in oldukça karamsar görüşüne göre bürokratik sistemler etkin ancak kimliksiz robotvari makinelerdi. Ancak modern toplumumuzda ve fazlasıyla karmaşık kurumlarımızda bu tür işlevler olmasa bütün çarklar durur. Devlette ve bütün büyük şirket örgütlenmelerinde Satıştan Sorumlu Başkan Yardımcısı, Dağıtım Yöneticisi gibi, şemada belli yerleri olan sıra sıra mevkiler vardır. Zaman içinde buralara gelen insanlar, şirketin sürekli hedeflerine ulaşmasını sağlamak amacıyla o mevkinin görevlerini yerine getirirler. Bu çok güzel bir düzendir. Kişiler değişir ama o mevkinin işlevi değişmeden kalır. Yetki kullanımının sürekliliğini sağlamak için, bu işlevi sürdürecek yeteneğe de sahip olmalıyız.

Coca-Cola Şirketi'nde taşıdığım her türlü yetki ya da

etkinin, kartvizitimde yazan ve oturduğum mevkiyi gösteren "Başkan" sözcüğünden kaynaklandığını her zaman söyledim. Yoksa altında yazan adımdan değil. Bu mevkinin önemini veren ise kartın üzerindeki ikinci isimdi: "The Coca-Cola Company". Karttaki en önemsiz isim benimkiydi. Bunu hep inanarak söyledim.

Buna rağmen şuna da inanırım ki, bir örgütün düzenli geometrik mekanizması, insan yaratıcılığını ve bireylerin üretkenliğini engellememelidir.

Kişilik-kişisel yaratıcılık-kişisel duygular-kişilerin duygusal bağlılığı-kişisel hayal gücü. Bir kurumdaki görevlerin hepsinde, tanımlanması güç bu tür nitelikler yer bulabilmelidir.

Karmaşık kurumların yöneticileri, ince bir çizgi üzerinde yürür. Yönettikleri, bir oyun bahçesi değildir elbette. Her işte gerekli ritmi korumak için kurallar ve düzenli olarak yapılan günlük şeyler olmalıdır. Ancak zaman içinde kurallar ve rutin işler, ister istemez, hizmet etmek için yaratıldıkları amaçlardan daha önemli hale gelir. Kurallar ve günlük işler, katı ve eskimiş bir törensellik içinde, sistemin pozitif enerjisinin önünü tıkarlar.

Bu törenleri yöneten bürokratlar ise onları canları pahasına korur çünkü her değişiklik, kendi güçlerini ve otoritelerini sarsacaktır. Giderek bürokratların bizzat kendileri her türlü ilerlemenin önünde büyük bir engel olabilir, hatta olurlar. Ve böylece başarısızlığı kesinleştirirler.

Üstelik başlarını kaşıyacak vakitleri de yoktur! Durmadan iç yazışmalar ve bilgi notları üretirler. Uzayıp giden binlerce e-posta ve dosyalanmış notlarla kendilerini iyice sağlama alırlar. Akşam eve gittiklerinde ne kadar çok çalıştıklarından yakınırlar ama aslında bütün gün üretken hiçbir şey yapılmamıştır. Böyle bir kurumda, başarısızlık mutlaka gelecektir. Kağıt sektörünün birkaç yıl önceki verilerine göre, ABD'deki bürolarda bulunan fotokopi makinelerinden her yıl 500 milyardan fazla kopya alınmaktadır. Geçen yılın kopyalarının sayımını ise uzmanlar hâlâ bitiremedi. Kim, kime, neyin kopyasını gönderiyor acaba? Ben de e-postanın bütün kağıt akışını ortadan kaldıracağını sanmıştım.

(Xerox'un nelere yol açtığını gördük.)

Gençken babamın büyükbaş hayvan işinde çalıştığım için bilirdim ki doğru oranda erkek ve dişi hayvanınız varsa, sonunda daha çok hayvanınız olacaktır. Bürokrasiler de aynı biçimde çoğalır. Bakın nasıl olur: Bir yönetici atadınız. Bu kişi 18 ay içinde kendine bir yardımcı alır. O yardımcı yönetici olur ve tahmin edin, evet, bir yardımcı daha gelir. Bu tempo böyle sürer gider.

Çalışanlar katman katman yığılmışlardır ancak müşteri kapıyı çaldığında evde kimse bulunmaz. Herkes toplantıdadır. Bu toplantılardan daha çok yazışma, daha çok e-posta, daha çok telefon konuşması, daha çok toplantı ürer. Hatta çoğu kez, toplantı planlaması yapmak için bile toplantılar yapılır. Toplantılar, büyük bir bürokrasinin dinsel törenleridir ve bürokratlar hep koyu dindar olurlar.

Coca-Cola'nın Houston'daki Gıda Bölümü'nde çalıştığım dönemde fazla bir bürokrasimiz yoktu. Duncan Foods ve Minute Maid şirketlerinin birleşmesinden doğan genç bir şirkettik. Bölümü yöneten İskoç kökenli Charles Duncan, sert, akıllı ve tutumlu bir girişimciydi. Bürokrasiden nefret ederdi ve fazla büyümesini önlemek için elinden geleni yapardı. Gıda Bölümü'nde, büro hizmetlimizle başkanımız arasında beş yönetim katmanı yoktu. Hızlı ve etkin çalışırdık ve söylemeliyim ki, kâr ederdik.

Sonralar: Charles Coca-Cola Şirketi'nin başkanı oldu, daha da sonra Başkan Carter yönetiminde hükümette görev aldı. Bana meşrubat operasyonunun yönetiminde birlikte çalışmayı önerdiğinde, Atlanta'daki Coca-Cola genel merkezinin onlarca yıllık sistemini kolay işler hale getirmek için büyük değişiklikler yapılması gerektiği konusunda da uyarmıştı.

Atlanta'ya gittiğimde, o kocaman Coca-Cola bürokrasisinin, birkaç kurşun kalemi vermeyip de Florence'ı ağlattığını görünce, büyük bir bürokrasinin insana öğrettiği başka bir ders aldım. Bürokrasiler asla hayır demez. Sadece istediğinizi, istediğiniz zamanda yapmazlar.

ABD operasyonlarının genel merkezindeki işime artık yerleşmiştim ve bir gün asansörlerden birindeki küçük halı kaplamanın eskimiş olduğunu fark ettim. Florance'a bakımonarım bölümünü arayıp bu halıyı değiştirtmesini söyledim. Aradan birkaç ay geçti ve Florence'a halının hâlâ değişmediğini hatırlattım. Farkında olduğunu ama düzenli bakımlar sürdüğü için bu işin de sıraya alındığını söyledi.

Bir yıl sonra bölümün başkanı olmuştum ve asansörün halısının hâlâ değişmemiş olduğunu tekrar söyledim. Bana o işin tam o sırada yapılacaklar listesinde olduğunu bildirdiler. İki yıl geçtikten sonra Coca-Cola ABD bölümünden, ana şirket binasına taşındığımda, asansörün halısı hâlâ değişmemişti. Bakım-onarım bölümü bir talebi asla reddetmezdi.

Hiç kimse bana "olmaz" dememişti. Ama sonuçta halı değişmedi. Her türlü gerçek ilerlemeyi engellemek isterseniz, idari kaygıların bütün diğer kaygıların önüne geçmesini sağlayın. Bürokrasinizi sevin!

Her kurumun bazı tıkanma noktaları vardır ki bunlar, hiç kimsenin, hatta en üst düzeydeki yöneticilerin bile aşamadığı güçlü bir bürokrasinin işaretleridir. Ve bu noktaların muhafızlarını aşağılamaya kimse cesaret edemez çünkü o zaman, vermeleri gereken hizmet neyse, onu sağlamada eskisinden daha yavaş davranmaya başlarlar. Yıllar önce, büro işleyişindeki en son yenilik olarak fotokopi merkezleri kurulup da bütün fotokopilerin birkaç adet merkezi makinede çekilmesine geçildiğinde, ortaya çıkan muazzam tıkanma noktaları, çalışmanın etkinliğine engel olmaya başlamıştı. Çoğu kez, fotokopiden sorumlu kişiler kendi yetki ve otoritesine kapılmış, inatçı bir zorba oluveriyorlardı. En basit ve olağan işi yaptırmak için bu kişileri durmadan pohpohlamak gerekiyordu.

Bir bürokrasinin her departmanında böyle durumlar vardır ve bu şirket içi derebeylerini kızdırmaya gelmez. Seyahat hizmetleri sorumlusunu veya malzeme bölümünden ataş yetkilisini atlayarak amirine giderseniz, genellikle daha sonra size yönelik kindar davranışlarla karşılaşırsınız. Sonuçta bu kişilerden bir bilet ya da bir ataş almak bile kişisel bir savaşa dönüşür. Wall Street Journal gazetesi yazarlarından Jared Sandberg bir süre önce bu büro zorbaları hakkında yazdığı bir makalede anlatmıştı: En küçük şey için bile talep formu isteyen inatçı bir satın alma memuru, elinde talep formu kalmadığı için kendisine başvuran sekretere şöyle demiş: "Talep formu doldur."

Kemikleşmiş bir bürokrasiyle başa çıkmak imkansızdır çünkü katı bürokratlar, kendileri çok az üretken iş yaptıkları gibi, başkalarının da iş yapmalarını engeller. Bunlar kendi yetki alanlarını korumakla o kadar meşguldürler ki, gerekli bilgi akışını da tıkar ve kendi başarıları uğruna her türlü başarı fırsatını tahrip ederler.

İş dünyasının eski orman yasası olan "senin başarın benim başarısızlığımdır" kuralı yoğun katmanlı bir bürokraside çok geçerlidir. Sanki kan çıktı çıkacaktır. Rekabet insan doğasının bir parçasıdır ama rekabet konuları ne kadar küçükse ve rekabetin nedeni ne kadar önemsizse, sürdürülen mücadele de o kadar olumsuz sonuçlar yaratır.

Koskoca kurum, yüzlerce Liliputlu'nun elini kolunu bağladığı Gülliver haline gelir. Rivayet o ki "bürokrasi" diye yeni bir oyun çıkmış. Herkes halka oluyor ve en ufak bir şey yapan ilk kişi kaybediyor!

En yetenekli çalışanlarınızı kaybetmek istiyorsanız, idari kaygıların diğer tüm öteki kaygıların önüne geçmesini sağlayın. Bürokrasinizi sevin!

İnsan kaynakları uzmanları bana şunu söylemişti: Orta kademe idarecilerinizden birini kaybederseniz onun yerine birini bulmak, işi kabul ettirmek ve eğitmek, ayrılan personelin ortalama yıllık maaşının en az iki katına mal olmaktadır. Belli ki iyi çalışanları elde tutmanın yararları var. Benim Coca-Cola Şirketi'nde olduğum yıllarda, pek çok şirketin yaptığı gibi biz de en yetenekli insanlarımızı tutmak için çaba gösterirdik. Çok sayıda ülkeye yayılmış küresel boyutta bir işletmede, bazı çalışanların başka tekliflere kapılarak ayrılmaları kaçınılmazdır. Ama değer verdiğimiz bir personelimizin hayatından memnun olmadığını fark ettiğimizde, zaman geçirmeden bunun nedenini arar ve durumu düzeltmeye çaba gösterirdik. Bazen biz durumu çok geç öğrenirdik ve bir şey yapmamıza fırsat kalmadan çalışan ayrılmış olurdu. Bazı durumlarda ise yapacak bir şey olmazdı.

Ancak deneyimlerim bana şunu öğretti ki, bir personelin ayrılmasının en sık görülen nedenlerinden biri ne paraydı, ne işin güçlüğü. Bürokrasiydi! Bu insanlar işlerini yapamıyor ve bunun sıkıntısını çekiyorlardı. Ne var ki, Japonya'daki Coca-Cola yöneticisi gibi, genel merkezden gelen yazışmaları ve talimatları çöp sepetine atacak cesareti de gösteremiyorlardı.

Ayrılanlarla yapılan mülakatlarda "Neden ayrılıyorsunuz?" sorusunun yanıtı çok kez bürokrasinin boğucu ağırlığı olarak karşımıza çıkardı.

Bütün büyük şirketlerdeki önde gelen sorunlardan biri, her zaman gereksiz bürokrasiyi ayıklamaktır. Coca-Cola Şirketi'nin başkanıyken kendimi hep yüksek maaşlı bir hademe olarak tanımlardım. Benim işim, görevleri yeni müşteriler yaratmak, onlarla hizmet vermek, dolayısıyla şirketin hisse değerini artırmak olan en parlak iş arkadaşlarımızın rahat çalışabilmeleri için koridorları temiz tutmaktı.

Meslek hayatımın daha başlarındayken, herkesin bildiği bir şeyi ben de öğrenmiş ve şirket faaliyetlerinin, var olan müşterilere iyi hizmet vermek ve yeni müşteriler yaratmak olduğuna karar vermiştim. Alanınız otomobil de olsa, bilgisayar da olsa, kozmetik de olsa, asıl işiniz müşteridir. Petrol yangınlarını söndürmek gibi bilinmeyen bir iş alanındaysanız bile, insanların sizin bu özel uzmanlığınızdan yararlanmayı istemeleri için önce sizin petrol yangınlarını söndürme uzmanlığınızı pazarlamanız gerekir. Gerçekten petrol yangınları söndürme uzmanı olan Red Adair, adını tüm dünyada öyle pazarladı ki, ismi artık bir marka olarak bu özel becerisiyle eş anlamlı hale geldi.

Coca-Cola markası hoş duygular, eğlence ve ferahlıkla eş anlamlıdır. Reklam "Coca-Cola ile her şey daha iyi gider" diyor. Şirkette de bizim işimiz, temas ettiğimiz herkesi, Coca-Cola'yla her şeyin gerçekten daha iyi gittiğine inandırmaktır. Telefonlara bakan kişilerden Coca-Cola'nın şişeleme sisteminde çalışan insanlara, yönetim kurulu başkanından yönetim kurulu üyelerine kadar hepimiz değişik işler yapıyor olabiliriz ama gerçek görevimiz, Coca-Cola'yı pazarlamaktır.

Bu şirketin efsane olmuş öykülerinden biri de şudur: Robert Woodruff ile baş hukuk müşaviri, her ikisini de iyi tanıyan bazı insanlarla toplantı yapıyorlarmış. Bir noktada Bay Woodruff hukukçusundan, ne iş yaptığını diğerlerine söylemesini istemiş. Hukuk müşaviri de hiç duraksamadan "Bay Woodruff, ben Coca-Cola satarım" demiş.

Bu görev her zaman benim sorumluluklar listemin en başında oldu. Tüm şirkette ve tüm dünyadaki Coca-Cola sistemi içinde satış-odaklı düşünüşü her zaman teşvik ettim. Yaptığımız her harcama, kurduğumuz her bölüm ve giriştiğimiz her proje, şu temel soruya yanıt getirmek zorundaydı: Bu yaptığımız, müşteri kazanmamıza ve onlara hizmet etmemize yarayacak mı? Eğer yeterince güçlü bir "evet" yanıtı çıkmıyorsa, para harcadığımız veya giriştiğimiz iş ne olursa olsun vazgeçmeliydik. Müşteriyi ilgilendirmeyen 50 tane iş yapmaya kalktığınızda, müşteriye hizmet etmeyen ve dolayısıyla yapılması zaten gerekmeyen işleri çok iyi yapan bireylerden oluşan 50 bürokrasi yaratmış olursunuz.

Pek çok şirket yolunu şaşırır. İşe başladıklarında hepsi sırım gibi, hantallıktan uzak ve disiplinlidir. Nakit akışını dikkatle izlerler ve Pazartesi günü kasaya ne girdiğini görmeden Salı günü ne harcayacaklarına karar vermezler. Başarı elde ettikçe daha rahat davranmak kolaylaşır ve böylece başarısızlığın tohumlarını ekilmiş olur. Disiplin duygusu gevşer. Yardımcıların yardımcılarının yardımcıları türer ve kısa zamanda yeni bir gerçek ortaya çıkar. İnsanlar birbirlerine bakıp "Biz nasıl oldu da böyle büyüdük? Koridorlardaki bu insanlar da kim?" diye sormaya başlar.

Bilgisayar şirketi Dell Computers kurulduğunda, gereksiz hiçbir ağırlık taşımayan bir şirketti. Zamanla büyüdüler ve büyüdükçe daha çok yönetim katmanı oluşturdular.Kârlılıklarını kaybettiler ve birincilik konumunu Hewlett-Packard'a kaptırdılar. Bu noktada Dell'in kurucusu olan Michael Dell, CEO olarak yeniden şirketin başına geçti. Yaptığı ilk işlerden biri, bütün çalışanlara bir e-posta göndermek oldu: "İçimizde çok değerli insanlar var ama aynı zamanda çok büyük bir düşmanımız var. Bürokrasi. Bürokrasi bize para kaybettiriyor ve bizi yavaşlatıyor. Bunu biz yarattık, çalışanlarımızın başına biz sardık ve biz düzeltmek zorundayız!."

Bürokrasilerin birbiriyle çatışacağı ve birbirlerine karşı işleyeceği bilinen bir gerçektir. Bu sürtüşmeyi en aza indirmek için personeli, başka çalışanları çekiştirmek için bana

131

gelmekten vazgeçirmeye çok çaba gösterdim. Eleştiri yapılacaksa, bunun aynı odada, insanlar yüz yüze bakarken yapılmasını istiyordum. Bir de çalışanların beni koridorda yakalayıp bir bilgi vermelerini ya da bir şey sormalarını istemezdim. "Tuvalet yolunda yönetim" dediğim bu yönteme kolaylıkla yakalanmak çok kolaydır!

Tam tuvalete giderken biri yolunuzu keser ve "Sizinle bir konuyu konuşmak istiyordum" der. Bu girişimlerden hep, "İşletme toplantısına kadar bekle, orada konuşalım" diyerek sıyrılmaya çalışırdım. Anlaşmazlıkları gidermek ya da olabilecek zararları denetlemek çoğu zaman mümkündür.

Bürokrasi evcilleştirmesi güç bir hayvandır.

> *"Bir komite, tek başlarına hiçbir şey yapamayan ama bir araya gelerek hiçbir şey yapılamayacağına karar veren insanlar topluluğudur."*
> —Fred Allen

WARREN BUFFETT, Berkshire Hathaway'in satın aldığı bir şirkette, ayda 10 bin işgücü saati harcayan 55 komiteyi ilk ayda dağıttıklarını söylemişti. Buffett şöyle diyor: "Şirketlerde, hele maliyetin nedeyse tamamını müşterilere yükleyebileceğiniz şirketlerde, bürokrasinin ne kadar büyüyebildiğini görmek insanı şaşırtır."

Bu arada, Berkshire Hathaway'in 2007 yılında sahip olduğu 76'dan fazla şirkette 232 bine yakın personel çalıştırdığını ve 18 milyar dolardan büyük bir gelir yarattığını bilmekte yarar var. Küresel yönetim merkezlerinde ise 19 kişi çalışıyor.

Peter Drucker 60 yılı aşkın bir süre eğitmenlik, danışmanlık yaptı ve 30'dan fazla kitap yazdı. Israrla işlediği temalardan biri, akıllı şirketlerin çalışanlarına mikro-yönetim uygulamadığı, yani yaşamlarında en küçük ayrıntıya kadar ne yapacaklarını söylemedikleriydi. Akıllı şirketler çalışanlarına değer verir, onların katkılarını ve yaratıcılık kıvılcımlarını destekler. Buna karşılık aptal işletmeler, çalışanlarının hayal güçlerinin, bürokrasi katmanları altında boğulmasına izin verir.

> "Ne iş yapıyorsun, Bob?"
> "Hiç."
> "Sen ne yapıyorsun, George?"
> "Ben onun yedeğiyim."

DRUCKER'IN YILMADAN İŞLEDİĞİ bürokrasi eleştirileri, 1989 yılında Wall Street Journal gazetesinde yer alan ve 2005 yılında bir kez daha yayımlanan "Posta Odasını Satın" başlıklı unutulmaz makalesiyle doruğa çıktı. Pek çok şirketin destek hizmetlerindeki elemanlarının daha etkin çalışmasını sağlamaya çabaladığı yıllarda Drucker, bu çalışanların hepsinin işten çıkarılmasını ve o işlerin bağımsız yüklenicilere yaptırılmasını öneriyordu. Şu noktalara dikkat çekiyordu:

Şirket içi hizmetler ve destek faaliyetleri, fiili tekellerdir. Üretkenliklerini artırmak için hemen hemen hiçbir dürtü yaşamazlar. Çünkü rakipleri yoktur. Aslında, üretkenliklerini artırma konusunda güçlü bir ters teşvik söz konusudur. İster özel sektörde iste kamuda olsun, tipik bir kurumdaki herhangi bir faaliyetin düzeyi ve itibarı, büyüklüğü ve bütçesiyle ölçülür. Bu, özellikle yazışma, bakım-onarım ve destek hizmetleri gibi doğrudan ve ölçülebilir bir katkısı olmayan çalışmalar için geçerlidir. Dolayısıyla bu tür bir çalışmanın üretkenliğini artırmaya çaba göstermek, gelişme ve başarıya giden yol olamaz.

Şirketin destek personelini işlerini iyi yapmıyorlar diye eleştirirseniz, amirleri daha fazla adam alma yoluna gidecektir. Şirket dışından bir yüklenici ise, kaliteyi artırmaz ve maliyeti düşürmezse yerine daha iyi hizmet veren rakip bir şirketin getirileceğini bilir.

Şişkin olmayan, daha yalın bir kurum yaratmak için dışarıdan hizmet almak, şirket yönetmenin daha etkili ve herkes aynı görüşte olmasa da, bence daha yenilikçi bir yoludur.

Başarısız olmak istiyorsanız, bürokrasinizi sevin: Ölümüne kadar!

28 Ocak 1986 günü Challenger uzay mekiği kalkıştan kısa bir süre sonra infilak etti ve içindeki yedi kişilik mürettebat hayatını kaybetti. Aralarında NASA'nın öğretmenlerin uzay uçuşlarında yer almasını öngören programının ilk katılımcısı Christa McAuliffe de vardı.

1 Şubat 2003 tarihinde Columbia uzay mekiği dünyaya dönerken atmosfere girişi sırasında Texas üzerindeyken yandı ve içindeki yedi mürettebat öldü. Bu iki felaketin ikisi de teknik hataya bağlandı.

İlk elden bilgiye sahip olmadığımız için sadede kamuya açık ifadelerden ve diğer uçuş sonrası analizlerden elde edilen bilgilere dayanarak tahmin yürütebiliyoruz. Elbette aksini savunan pek çok kişi vardır ama bazı analistler, bu uçuşlarda meydan gelen teknik arızaların, kısmen bürokratik bazı hataların sonucu olduğu görüşünde birleşiyorlar.*

Her iki mekiğin fırlatılması kararını da, bilim çevreleri, savunma bakanlığı, hükümet ve Kongre olmak üzere birden fazla efendiye hizmet etmeye çalışan çok katmanlı NASA bürokrasisi vermişti. Bunların yanı sıra karar sürecine bazı parça ve sistem sağlayıcıları da yer almıştı.

Duygusal yükü ağır bir karara katılmış olan herkes, işin içine pek çok faktörün girdiğini ve bazen bunların en mantıklı görüşleri saf dışı bıraktığını bilir. Yaşadığım karar alma deneyimlerim ve özellikle New Coke süreci, NASA'nın da kendi karar aşamalarında, elbette çok daha önemli olmakla birlikte, benzer sorunlarla karşı karşıya kalmış olabileceğini düşündürdü bana. Daha da önce değindiğim gibi, heyecan ve bir an önce gerçekleştirme duygusu ne kadar büyükse ve mutfakta ne kadar çok aşçı varsa, bürokratik karar mekanizmasının kilitlenmesi ya da çıkacak kararın bir toplu temenni ça-

---

* Jeff Forrest, "The Challenger Disaster: A Failure in Decision Support System and Human Factors Management". İlk hazırlanışı 26 Kasım 1996, yayın tarihi 7 Ekim 2005. DSSResources.com

lışması olması ihtimali de o kadar büyüktür. New Coke olayında ve bazı şirket satın alma ve birleşme kararlarında olduğu gibi, ekipten hiç kimse pişmiş aşa su katan kişi olmak istemez.

Katmanlı bir bürokraside çok sayıda karşıt güç varsa, çıkacak yetki savaşları işi daha da güçleştirecektir. Sonunda bir bürokrasi öylesine işlevsiz bir hale gelebilir ki, artık oyunbozanlık yapacak bir kişi bile kalmaz. Ekibin artık uzaktan yakından nesnel bir karar alması mümkün değildir. NASA'-daki durumda veriler, sorumluluğun çok fazla kişi arasında dağıldığını ve herkesin sistemdeki bir başkasının hatayı yakalayacağına inandığına işaret ediyor. Ama bu gerçekleşmedi. Her iki kazadan sonra verilen ifadelerden, uçuşların yapılması için nihai kararları, en iyi bilenlerin değil, en çok yetkiye sahip olanların aldığı anlaşılıyor.

Katrina Kasırgası deneyimi de, işlevini yitirmiş bürokrasiler konusunda örnek bir vakadır. Bürokrasinin her düzeyinde yaşanan ve ölümlere, duyulmamış acılara neden olan o topyekun çöküntü hakkında kitaplar yazıldı ve daha da yazılacak.

İş dünyasında bürokrasilerin kötü işlemesi, hem güçlük yaratır hem de pahalıya mal olur. İşleri düzeltmek için çok fazla zaman harcandığı için, insanlar durumun içinden çıkma sıkıntısı yaşarken, daha çok hata yapma eğiliminde olabilir. Ama bu tür hatalar sonunda kaybedilen sadece paradır.

Bürokrasiler, çok önemli ölüm-kalım konularında çekişmeye girerlerse, sonucu felaket boyutlarında olabilir. (Son zamanlardaki faaliyetleri NASA'nın karar sürecindeki sorunlarını giderdiğini ve bürokrasilerini birbirleriyle daha uyumlu kılmanın yolunu bulduğunu gösteriyor. Federal Acil Durum Yönetimi Kurumu da, bürokrasi katmanlarını temizleyerek, ilkelerini ve işlemlerini yeni bir düzene sokmuşa benziyor.)

Dokuzuncu Emir

Karışık Mesajlar Verin

> *"İletişimin sorunu,*
> *başarıldığı yanılgısını yaratmasıdır."*
>
> –George Bernard Shaw

ÇALIŞANLARINIZA ve müşterilerinize karışık ve anlaşılması güç mesajlar göndermeniz rekabetçi konumunuzu tehlikeye atacak ve başarısızlığı doğuracaktır. Jack Welch, GE'nin başına geldiğinde, şirketin bir karışık mesajlar yumağı halinde olduğunu ve bazı köklü birimlerin çökmenin eşiğine geldiğini ifade etmiştir. 1970'li yılların başlarında Coca-Cola Şirketi'nde de iletişimin, özellikle kendi çalışanlarımız ve şişeleyicilerimiz için ama aynı zamanda da perakende müşterilerimiz için, en iyimser yorumla bile yanıltıcı olduğu durumlar vardı. Bunlardan biri idarecilerin üst üste karışık mesajlar gönderdikleri, açık satış departmanıydı.

"Çocuğuna "Tabağındakileri bitirmezsen sana tatlı yok!"
diyen anne-babalar gibi, dediğimizi kastetmeden konuşmuş-

139

tuk. Çocuklar tatlılarını yediler.

1973 yılında şirketin meşrubat işletmesinde çalışmak üzere Atlanta'ya geldiğimde açık içecek makineleri departmanı şirketin tarihi gözbebeğiydi. Ne de olsa Coca-Cola Atlanta'da açık satışlarla başlamıştı ve yıllardır ürünümüzü McDonald's noktalarından Yankee Stadyumu'na kadar değişen her türlü satış noktasında, bardakta, açık satıyorduk. Bu noktalardaki müşterilerimizi ziyaret eden 700 kadar satış elemanımız vardı. Bunlardan birkaçı, zincir mağazalardan sorumluydu ve temaslarını genel merkez düzeyinde yürütürlerdi. Satış elemanlarının çok büyük çoğunluğu her gün perakende müşterilerimize bizzat gider ve o satış noktalarında ürünümüzün satışa sunulmasında yardımcı olurdu. Coca-Cola'nın açık satışta dünya lideri olduğu su götürmez bir gerçekti.

Derken birkaç sorun birden ortaya çıktı ve bir de baktık ki bu alanda zarar ediyoruz!

Öncelikle 1960'larda açık satışlar bölümü, satış elemanlarının bir noktadan bir takvim yılında ne kadar satış yapılacağını tahmin etmesine dayalı tuhaf bir tahsis sistemi kur muştu. İyi satış elemanları genellikle karakter olarak iyimser insanlardır: Sorun şuydu: Bütün satış noktalarına, satış elemanının tahminine dayalı bir promosyon masrafı takvim yılının başında gönderiliyordu. Aralık ayına gelince de, bir satış noktasındaki satışın tahminlerden çok düşük olduğu görülürse sorun baş gösteriyordu.

Şirketin, gerçekleşmemiş satışlar için nakit ödeme yaptığını ve brüt kâr marjlarının ortadan kaybolduğunu anlamak için matematikçi olmaya gerek yoktu. Bu başlı başına, açık satış noktasına ve şirkete giden karışık bir mesajdı.

Bu tuhaf düzen yetmezmiş gibi, şuruptaki ham maddelerin artan maliyetini de biz yükleniyorduk çünkü Coca-Cola şurubunun perakende müşterisine maliyetinin sabit olduğu biçiminde, sanki değişmez bir kural vardı. Yıllar geçtikçe maliyetler artmış ve kâr marjları daralmıştı ama yönetim, fiyat arttırırsak satışlarımız tehlikeye girer ve rakiplere karşı savunmasız kalırız korkusuyla bu soruna çözüm getirmekten kaçınmıştı. Aslında, bizim maliyetlerimiz yükselirken, rakiplerimizinki de yükseliyordu ve inanıyordum ki biz fiyat artırırsak onlar da kaçınılmaz olarak aynı şeyi yapacaklardı.

Tam bu sırada Charles Duncan Atlanta'ya taşınıp, ABD Coca-Cola örgütünün başkanı olan Luke Smith'le çalışmamı istedi. Burada ilk görevim, açık satış noktaları sorununa çözüm bulmak oldu.

Durumu inceledik ve gördük ki fiyat artırmaktan başka bir seçeneğimiz bulunmuyordu. Açık satış bölümünün bütün idarecileri teker teker gelip, fiyatları yükseltmemizin mümkün olmadığını özenle anlattılar. Hepsini dinledikten sonra bir Cuma günü fiyatı galon başına 20 sent artırmaya karar verdik.

Pazartesi günü rakiplerimiz bizi ezip geçmedi. Onlar da fiyat yükselttiler.

Bu örneğin gösterdiği gibi bazen bir fikir öylesine kök salar ki, onu yerinden oynatmak imkansız olur. Ben dışarıdan geldiğim için evin eşyasına bakış açım, içinde yaşayanlardan daha farklıydı. Kanepenin yerini değiştirdim. Ve ev çökmedi.

Para dediğimiz o müthiş icattan daha önce söz etmiştim. İş dünyasında geçirdiğim uzun yıllar boyunca, nakit paranın gerçek terimlerle nasıl tanımlanabileceğini sık sık düşündüm.

Para ya da nakit dediğimiz şey, her türlü ticareti mümkün kılan o büyük soyutlamadır.

Ne var ki şirketin yol aldığı soyutlama düzeylerinin, artık hesabı şaşıracağımız noktalara varacağından da korkardım.

Houston'da Gıda Bölümü'ndeyken 1973 yılında fark ettim ki, bir insan lisans ya da lisansüstü diploması alabilir, bu şirkete girip 40 yıl günlük işlemleri yürütebilir fakat elinden nakit bir tek dolar bile geçmemiş olabilirdi. Personele, tedarikçilere, reklam ödemesi olarak medyaya, reklam şirketine, seyahat acentasına ve daha aklınıza gelen kim varsa, hiçbirine nakit olarak bir tek dolar bile ödenmiyordu. Genel merkezdeki kadrolu yöneticilerin yaptıkları bütçeler, kağıt üzerindeki rakamlardan başka bir şey değildi. Her şey son derece yanıltıcı ve anlamını yitirecek ölçüde soyuttu.

Las Vegas kumarhanelerinde, masa üstünde nakit görülür ve saniyesinde ortadan kaldırılmazsa, krupiyeyi işten atarlar. Kimsenin gerçek dolar ve sent düşünmelerini istemedikleri için, renkli fişler kullanılır. Kumarbazlar bedava bir kadeh içki için 50 dolar bahşiş verirler çünkü "50 dolar" olarak değil, "Ne olacak, bir tanecik fiş" diye düşünürler.

ABD federal hükümetinin günlük harcaması günde 7.4 milyar dolar kadardır. Halbuki 1 milyar bile insanı sersemletecek kadar büyük bir miktardır. 1 milyar dakika öncesinde, Roma İmparatoru Hadrianus, ünlü duvarı inşa ettiriyordu. Bir milyar saat önce ecdadımız Taş Devri'nde yaşıyordu. Bir milyar gün önce, Homo erectus ortada yoktu.

Birkaç yıl önce, C. Northcote Parkinson, Parkinson Yasaları adlı ünlü kitabında, büyük bir bütçe planında yer alan bir sürü minicik sıfırın, ne kadar para demek olduğunu çoğu insanın kavrayamayacağını söylemişti. Çoğunlukla çok daha küçük miktarlar kavranabiliyordu; birkaç yüz, ya da en çok birkaç bin gibi. Ben de Gıda Bölümü'ndeki çalışanların, harcadığımız gerçek parayı, şirkete giren ve çıkan her bir doları düşünmelerini nasıl sağlarım nasıl düşünürdüm. Bir yıl aklıma şu fikir geldi: "Gerçek parayı düşünmekle kalmayalım. Nakit para kullanalım."

Finans genel müdürünü arayıp, gelecek ayın ilk haftası boyunca her işlemi gerçek nakit dolar ve sentle yapmak istediğimi söyledim. Müdürlerden biri New York'a gidecekse ve bileti 692 dolarsa, finans müdürü 692 doları nakit verecekti. New York Times gazetesinde tam sayfa ilanın maliyeti 19,458 dolarsa, ödemeden sorumlu kişi 19,458 doları nakit olarak hazır edecekti. Her faturayı nakit ödeyecektim. Dokunduğumuz her şeyi. Maaşlar nakit ödenecekti. Kurşun kalemler nakitle alınacaktı. Her bir alışveriş işlemi nakitle yapılacak-tı.

Gıda Bölümü küçük bir birim değildi gerçi ama dev bir şirket de değildi. Buna rağmen Houston'daki bankaların hepsindeki toplam nakit, bu deneyi yapmamıza yetmedi.

Bu elbette çılgın bir fikirdi ve hiçbir zaman gerçekleştiremedik. Halbuki insanların sadece bütçe rakamlarıyla uğraşmak yerine gerçek parayla temas etmeleri, eminim ilginç bir ders olurdu.

Paranın o katı gerçekliğini etkili bir biçimde canlandırmayı başaramadım ama açık satış departmanında hiç değilse para kazanmanın önemimi vurgulamış oldum.

Açık meşrubat satışı departmanındaki bir başka karışık mesaj da, şuydu: İşler ister iyi ister kötü gitsin, her kış mevsiminde bu bölümün bütün yöneticileri ve satış elemanlarının, eşleriyle birlikte bir "satış toplantısına" katılmaları gelenek olmuştu. Bu toplantılar aslında güneşli ve egzotik tatil yerlerinde yapılan lüks eğlentilerden başka bir şey değildi. Benim oraya gittiğim yıl, zararda olmamıza rağmen, her zamanki gibi aynı satış toplantısının hazırlıkları yapılıyordu.

Karışık mesaj şuydu: "Ne yaptığının önemi yok. Ödüllendirileceksin."

Yapılacak değişikliklerden biri, şirketin bundan böyle kötü performansı ödüllendirmeyeceği idi. Herkesin bunu iyice anlaması için şu açıklamayı yaptım:

"Bu yıl satış toplantısını Chicago'da yapacağız. Chicago çok hoş bir kenttir ama Ocak ayında gidilecek bir tatil yöresi değildir. Ticari bir otelde kalacağız. Biraz ikinci sınıf bir otel olacak. Eşler gelmiyor. Odalarda ikişer kişi kalacağız."

Çalışanlara, kaldığımız otelden ve Ocak ayında Chicago'dan benim de hoşlanmadığımı söyledim. Ama olmayan parayı harcayamazlardı.

Hepsi mesajı almıştı.

Ertesi yıl satışlar ve kârda müthiş büyük bir sıçrama oldu ve Hawaii'ye gidip büyük bir kutlama yaptık. Tabii, eşler de geldi..

Ve bundan sonraki her yıl kâra geçildi.

> *"Hayatta paradan önemli birçok şey vardır, ve hepsi paralıdır."*
>
> - Yine Fred Allen
>
> (Harvard İş İdaresi Fakültesinde hoca olmalıymış.)

YAŞADIĞIM kâbus gibi deneyimlerin ana teması karışık mesajlardı desem yeridir. 1985 yılında Jamaika hükümeti bana Martin Luther Barış Ödülü'nü verecekti. Başbakan Edward Seaga ve bir takım generaller de hazırdı. Kahvaltı sırasında generaller başbakanın kulağına bir şeyler fısıldayıp durdular. Sonunda başbakan da benim kulağıma fısıldadı: "Konuşmalar bittikten sonra dışarıya çıkıp arabaya binmeyin. Yukarı sizin odaya çıkacağız." Öyle yaptım. Odamdan baktığım her yanda, ateşlerin yakıldığını, halkın bağırıp çağırdığını görebiliyordum. "Coca-Cola Jamaika'da benim bilmediğim bir kusur mu işledi" diye sordum. "Yoo, benzin fiyatlarına zam geldiği için halk öfkeli ama biz yine de risk almayalım" dediler. Ve beni bir helikoptere bindirdikleri gibi gönderdiler. Coca-Cola'ya bir yandan barış ödülü verilirken, bir yandan da makineli tüfekli muhafızlarca korunan bir helikopterle kaçmak zorunda kalmamız bana her zaman müthiş bir çelişki gibi gelmiştir.

Coca-Cola'da karışık mesajlardan doğan en büyük sorun, küresel şişeleme sistemimizde meydana geldi. Bu sistem zaman içinde dünyadaki perakendecilik sistemiyle uyumunu kaybetmiş ve geniş çaplı bir düzenlemeye ihtiyaç gösterir hale gelmişti. Açıkçası sistem, dünyanın ekonomik ve toplumsal dokusunda meydana gelen değişikliklerin gerisinde kalmıştı.

Bu değişim büyük ölçüde teknolojiden kaynaklanmıştı. 10 Temmuz 1962 tarihinde, yeni iletişim uydusu Telstar ile ilk canlı televizyon görüntüsü Atlantik Okyanusu'nun bir kıyısından diğerine gönderildi. O andan beri küremiz, hızla küçülmeye devam ediyor.

Bir gün dünyadaki başka başka ülkelerde herkes biraz farklı giyiniyor, farklı şarkılar söylüyor, farklı yayınlar okuyor ve başka televizyon programları izliyordu. Ve sanki ertesi gün, herkes birbirine benzer olmuştu, aynı müziği çalıyor, aynı şeyleri okuyor ve aynı programları izliyordu. Maine eyaletindeki Bangor kasabasından Hindistan'da Bangalore'a ·kadar herkes Levi's pantolonlar, tişörtler ve lastik ayakkabılar giymeye başlamıştı. 1970'lerde rock and roll müziği ve televizyondan yayınlanan spor karşılaşmaları dünyayı daha önce görülmemiş biçimde birleştiriyordu. Herkes Muhammed Ali'yi tanıyordu. Olimpiyat oyunlarını 1 milyardan fazla insan izliyordu. Hatta bazı yiyecekler, dünyanın her yerinde satılmaya başlamıştı.

Ne var ki, dünya küçüldükçe ve daha "küreselleştikçe" Coca-Cola Şirketi, dünyanın her yerine yayılan imparatorluğuna giderek daha kopuk mesajlar göndermeye başlamıştı. Değişik ülkelerdeki insanlarımızı aynı pazarlama ortamında ve aynı genel amaçlara odaklanmış olarak bir araya getirmiyorduk. Tüm dünya giderek "bir" olurken, Coca-Cola olamıyordu. Dünyada "okey"den sonra en çok bilinen sözcük belki de "Coca-Cola" idi ama şirketin kimliği dünyanın tüm ülkelerinde farklıydı. Ve başarısızlık tohumları meyveye dönmeye başlıyordu.

Temel neden sistemin yapısından başka bir şey değildi. On yıllar boyunca Coca-Cola'nın yurtdışı işletmeleri, dünyayı kazanmak amacıyla değişik ülkelere gönderilen bir grup şirket misyoneri tarafından kurulmuştu. Bunların her biri, gittikleri yerde dünyaya kendi gözleriyle bakıyorlardı ve daha önce de sözünü ettiğim gibi tek başlarınaydılar. Küresel bir şirket kurmanın gerçekte başka bir yolu olmadığı için, bu insanlara çok büyük hareket özgürlüğü tanınıyordu. Sonuç olarak dünyanın değişik yerlerinde işler farklı yürütülüyor, ürünün ve şirketin algılanması da değişik oluyordu. Değişmeyen şeyler Coca-Cola'nın tadı, markası, ambalajı ve sistemin sahip olduğu büyük tutkuydu ve bu tutku sayesinde büyük ve küresel bir sistem oluşturulabildi. Farklılıkların nasıl oluştuğunu adım adım izlerseniz, yolun sonunda genellikle dünyanın o köşesinde Coca-Cola'yı ilk kuran kişiye ulaşırdınız.

Örneğin Coca-Cola'nin öncülerinden biri olan Bill Bekker, Güney Amerika'ya gitmişti. Burada çok büyük, ancak gelir düzeyi çok düşük nüfusları barındıran bir dünya buldu. Dolayısıyla satış hacmine odaklı bir şirket yapısı kurdu. Rio Grande'den Patagonya'ya kadar, herkesin verebileceği bir fiyattan milyonlarca kasa Coca-Cola sattı. O dönemde dünyanın o bölgesindeki faaliyetimiz, büyük satış hacmi ve küçük kâr marjı ile yürüyordu.

Avrupa'ya giden Max Keith adlı bir başka öncü ise, yüksek gelir düzeyinde çok daha küçük bir nüfusla karşılaşmıştı. Avrupa meyve suları ve benzer meşrubata çoktan alışmıştı dolayısıyla Keith Coca-Cola'yı özel günler için özel bir ikram olarak tanıttı. Dünyanın o bölgesinde düşük hacimli ve yüksek kâr marjlı ve çok başarılı bir işletme kurmuştuk.

Asya, Afrika ve Ortadoğu ülkelerindeki faaliyetlerimiz de aynı bu biçimde birbirinden farklı örgütlendi ve yapılandırıldı. Bazı yerlerde son derece modern ve dinamiktik. Başka yerlerde ürünümüz pazara eşek sırtında taşınıyordu. Sonuç ortak bir ürün ve ortak kalite standartları etrafında birleşmiş çok sayıda tek tek beyliklerin oluşturduğu harika bir mozaikti. Ancak başka pek çok yönlerden de o kadar farklıydılar ki, birbirleriyle iletişim bile kuramıyorlardı. Doğrusunu söylemek gerekirse, uzun yıllar kimse buna gerek de duymadı.

Tek Bakış Açısı, Tek Ses, Tek Satış Yöntemi Gereksinimi

Ancak 1960'larda dünya hızla değişmeye başlamıştı. 1970'lerde bu süreç daha da hızlandı. Pazarlar, sınırları aşıp birleşiyordu. Dolayısıyla Coca-Cola'nın o zamana kadar New York'taki Coca-Cola İhracat Şirketi'nin verdiği belli reklam kalıplarıyla yönlendirilen pazarlaması, artık McDonald's ya da yeni hipermarketler gibi küresel müşterilerin, küresel pazarlama çabalarıyla örtüşecek yeni bir enerjiye ihtiyaç gösteriyordu. Teneke kutu ve daha büyük şişeler gibi yeni ambalaj olanaklarına ihtiyacımız vardı. Dahası, biz değişik faaliyetler sürdüren değişik şirketler halinde çalışırken, dünyanın her yerindeki müşterilerimizin damak tatları birbirine benzemeye başlamıştı.

1970'lerdeki yönetim kurulu başkanı ve CEO Paul Austin, İhracat Şirketini New York'tan Atlanta'ya taşıdı ve küresel bir süreklilik kazanabilmek için, dünyanın her yerindeki yöneticilerin daha düzenli olarak bir araya gelmeleri sağlandı. Ne var ki, bir kez bizimki gibi değişiklikler taşıyan bir kültüre sahip olduysanız, bunu değiştirmek güçleşir.

1970'li yılların ortasında ABD resesyona girmiş ve enflasyon patlamıştı. Biz ABD'deki şişelemecilerle yeni sözleşme müzakereleri yaparken, Güney Amerika'da siyasi çalkantılar baş göstermişti. Avrupa ve Asya hızla değişiyordu. Aynı yıllarda Rusya, münhasır hakları baş rakibimize vermişti, üstelik İsrail'le şişeleme anlaşması yaptığımız için Araplar Coca-Cola'nın adını bile duymak istemiyordu. Rakibimizin pazarlaması canlanıyordu. Kısacası, Coca-Cola dünyası ciddi olarak sarsılıyordu.

Eski Düzeni Silkeleme İhtiyacı

1981 yılında Roberto Goizueta ve ben şirketin üst yönetim mevkilerine getirildiğimizde, karşımıza bir takım sorunlar çıkmıştı. Örneğin gerekli olduğunu birkaç yıldır bildiğimiz bir ürün olan Diet Coke'u piyasaya sürerek imajımızı canlandırmak artık çok acil bir duruma gelmişti. Ancak en büyük zorluğumuz, tüm uluslararası örgüte yön ve hedef birliği vermekti. O kökleşmiş derebeylikleri yerinden oynatıp sarsmak çok tehlikeliydi, ama pazarlamamızı modernleştirip, dağıtım sistemimizde yaratacağımız etkinlikle dünyanın her yerindeki müşterilerimize hizmet vereceksek, bunu yapmak zorundaydık.

Yapılacak ilk iş, karışık mesajları çözmek ve herkesi küresel faaliyetlerin her alanında görece bir özerklik korunsa bile, pazarlar uluslarüstü hale geldiği için, bizim de aynı yola gitmemiz gerektiğine inandırmaktı.

Boston Celtics takımının efsane hocası Red Auerbach, bir oyuncunun verdiği pası öteki oyuncu yakalayamazsa kabahatin pası veren oyuncuda olduğunu söylerdi. Çünkü "eğer pası veren doğru iletişim kurmuş olsaydı, pası alacak oyuncu

149

mesajı anlayıp topu yakalamak için gereken anda, gereken yerde olurdu." Dünyanın her köşesindeki her bir yöneticinin, şirketimizin, yani şirketlerinin artık değişmesi gerektiği mesajını anlamalarını sağlama görevi bize düşüyordu. Dünyanın dört bir yanından gelen bütün yöneticilerimiz, California'daki Palm Springs'de düzenlenen toplantıya katıldılar. Roberto toplantıyı şaşırtıcı bir öneriyle açtı: "Her gün bir kutsal inek kurban edilecekti." Şirketi neredeyse baştan ayağa yeniden yaratmak gerektiğini söyledi ve ardından, üzerinde uzun süredir çalıştığımız kesin bir görev talimatını açıkladık. Aslında yaptığımız, Atlanta'daki uluslararası şirketin denetimini tek bir hedefe yönelik olarak güçlendirmek ama bunu yaparken her yerel işletmenin öz gücünü ve bireyselliğini de korumaktı. Dünyada moda olmadan çok önce biz, "küresel düşün, bölgesel davran" stratejisini uygulamayı başarmıştık.

Hangi Sektörde Olduğumuza Dair Karışık Bir Mesaj Daha

Coca-Cola'nın çeşitliliğe yönelmesinin gerekli olduğu yolundaki algımızdan daha önce söz etmiştim. Şarap şirketi olayında, sinerji beklentimizin gerçekleşmeyeceğini anlayınca o şirketi satmıştık.

Çeşitlilik olarak girip, kârlı olmasına rağmen kısa süre sonra satıp çıktığımız bir başka sektör daha vardı: Sinema.

Ocak 1982'de Coca-Cola Şirketi'nin Columbia Pictures sinema şirketini satın aldığını açıklamıştık. Wall Street'teki yorumcular pahalı aldığımızı söyleyince, Coca-Cola hisseleri yüzde 10 düştü. Pek çok kişi Roberto'yla ikimizin büyük bir hata yaptığını düşünüyordu. Ancak bir süre sonra, Columbia anlaşmasının hiç de kötü olmadığı görülmeye başlandı. Tootsie ve Gandhi filmleriyle büyük başarı elde etmiştik. Ve 1983 sonunda, en yüksek beklentilerimizi bile yüzde 50 aşan bir kârlılık gösterdik.

Bunda sonraki birkaç yıl boyunca Columbia, ülke içindeki kârımıza kâr kattı ve bunun heyecanını yaşadık. Bu şirketi alıp işletmekle doğru karar vermiştik. Sinema sektörü kuşku yok ki çok keyifli ve çok büyüleyiciydi.*

Ne var ki, küresel meşrubat faaliyetimiz genişledikçe ve giderek artan gelirlerimiz ve kârlarımız büyüdükçe, Columbia'nın buna kıyasla daha mütevazı kalan gelirine ihtiyacımız giderek azalıyordu. Tüm faaliyetlerimiz arasında görece olarak küçük bir yer tutmasına rağmen, orantısız zaman ve ilgi gerektiriyordu. Columbia herkese, gerçekte neyin önemli olduğu konusunda karışık bir mesaj veriyordu.

Üstelik bu sektör istikrarsızlığıyla ünlüydü. Sinema sanayiinin gerçeği, garantili bir gelir akışı sağlamamasıydı. Herbert Allen daha ilk fiyat pazarlığı toplantısında bunu bize açıkça söylemişti. Böylece, Herbert'in verdiği öğütleri tutarak sinema sektöründe başarılı bir deneyim yaşadıysak da, sonunda Roberto ile, şirketimizin asıl işine dönmemiz gerektiğine karar verdik.

Allen & Company şirketinin aracılığıyla Columbia'yı, aldığımızdan epeyce yüksek bir fiyata sattık.

----

* Tabii büyüleyici olan bizler değildik. Gandhi filiminin galasında, Roberto ve benim içinde olduğumuz limuzin gösteri salonunun önüne yanaştığında aracın çevresini, patlayan flaşlarıyla fotoğrafçılar sarmıştı. Arabadan inince imza avcısı bir kadın koşa koşa yanımıza geldi, sonra "Boş verin, bunlar meşhur değil!" deyip döndü gitti.

Artık karışık mesaj vermek yoktu. Biz ne TV şirketi ne de sinema stüdyosuyduk. Biz küresel çapta meşrubat işi yapan bir şirkettik. En iyi yaptığımız iş buydu ve çalışanlarımızın akıllarını hep buna vermelerini istiyorduk.

Bir Başka IBM Örneği

John Akers IBM'in başındayken, benimsediği ilke ya da onun deyimiyle "yeni paradigma" müşteriye hiç olmadığı kadar yakın olmak, ona karşı duyarlı olabilmek ve müşteri gibi düşünebilmekti.

Bu felsefeyi vurgulamak için 1989 yılının başarında Akers, tüm dünyadaki önemli IBM yöneticilerini, New York, Armonk'ta büyük bir toplantıya çağırdı. Çok ilgi çeken bir olay oldu. Toplantının açılışından sona Akers IBM dünyasında müşterinin ne denli değerli olduğunu anlattı ve paradigmasının önemini göstermek için, toplantının odak noktası ve ilk oturumun ana konuşmacısı olarak beni takdim etti.

Sabah oturumu başladığında, konuşma sırası daha bana gelmeden, Akers aşağı yukarı şu mealde bir açıklama yaptı: "Müşterilerimize daha iyi hizmet vermenin ve onlara bağlılığımızı vurgulamanın yollarını bulmak için genel merkezde yaptığımız ayrıntılı tartışmalara sizin de tanık olmanızı istiyorum." Ardından ceketlerini çıkarıp gömleklerinin kollarını sıvamış üst düzey IBM yöneticilerini, müşteriler ve müşteri hizmetleri konusunda ciddi tartışmalar yaparken gösteren bir video filmi izletti. Görüntüde grafikler, çizelgeler akarken yeni paradigmanın önemini hatırlatmakla görevli profesyonel bir de "değnekçi" mevcuttu.

Herkesle birlikte ben de videoyu izledim. Masada müşteri toplantısına katılan yöneticilerin hepsinin önünde bir kutu Pepsi-Cola durduğu elbette gözümden kaçmamıştı. Kimse bu konuda tek laf etmedi.

Derken konuşma sırası bana geldi. Davetinden dolayı John'a teşekkür ettim ve IBM yöneticilerini çalışırken gösteren o güzel video filminin bir bölümünü tekrar göstermesini rica ettim. Filmin belli bir yerinde görüntüyü durdurmasını istedim.

Şöyle dedim: "Coca-Cola Şirketi olarak IBM'in en büyük müşterilerinden biri olmaktan onur duyuyoruz ve beni buraya davet etmekle siz de bizi onurlandırdınız. Buna rağmen, eminim kaç kez izlediğiniz bir video filmi hazırlayıp burada gösterdiniz. Bu videoda sen ve şirketinizin önde gelen yöneticilerinin önünde benim şirketimin en büyük rakibi olan ürün, Pepsi-Cola kutuları görülüyor. John, bana öyle geliyor ki bu toplantıyı hemen burada kesebilirsin çünkü mesaj yerine ulaşmıştır. Sen ve diğer yöneticileriniz müşteri bilincinden söz ediyorsunuz, buna rağmen hepiniz şu anda sahnede duran bir müşterinizden habersizsiniz."

Dinleyiciler donup kalmıştı ve hava çok gerilmişti. Derken bir alkış koptu. Herkes mesajı anlamıştı. Yıllar içinde bu olay IBM kültürünün parçası haline geldi.

Daha sonra IBM, tarihinde ilk kez şirket dışından bir CEO olarak Lou Gerstner'i başa getirdi ve tüm yapısını yeniden tasarlamaya girişti. Sahibi oldukları şirket sırlarını kendilerine saklamak yerine, lisanslı olarak dışarıya vermeye başladılar. Buna ek olarak başka şirketlere bilişim teknolojisi hizmeti sağladılar. Ve Sam Palmisano'nun liderliğindeki IBM'-

in 2006 yılındaki 90 milyar dolarlık kazancının yarısından fazlası, 1990'da var olmayan hizmetlerden sağlanmıştı. Karışık mesaj diye bir şey artık yoktu.

Onuncu Emir

Gelecekten Korkun

> *"Korku, negatiflerin çoğaldığı küçük karanlık odadır."*
>
> –Michael Pritchard

PEK ÇOK İNSAN için gelecek hakkında temkinli ve dikkatli olmak doğru bir davranıştır. Temkinli olmak bir suç değildir ama şirket faaliyetlerinde her zaman başvurulan yöntem haline gelmesi, Birinci Emir'de ifade ettiğim gibi, başarısızlığı çabuklaştırabilir.

Futbolda bu her zaman görülür. Maçın sonuna doğru, önde olan takım artık kendini tehlikeye atmak istemez ve avantajını korumaya dikkat eder. Avantajını risk alarak sağlamış olmasına rağmen, artık riske girmez. Ve çok kez oyunun son dakikalarında yenilir.

Risk almaktan vazgeçmek, ciddi bir risktir!

Ancak bundan çok daha zararlı bir hastalık sinsice fırsat beklemektedir.

Korku!

Geleceğe ilişkin temkinli bir dikkat ile o gelecekten duyulan dizginlenemeyen korku arasında büyük fark vardır. Franklin D. Roosevelt, "Korkudan başka korkacağımız bir şey yoktur" dediğinde, annem ve babam, onun ne demek istediğini çok iyi anlamışlardı. 1930'lu yıllarda korkmadan bir atılım yaptıklarında, durumları hiç de iyi değildi. Ama onlar kendilerini korkuya kaptırmamaya kararlıydılar. Bu ulusu kuran, o bastırılması mümkün olmayan iyimserlik, onlarda da vardı.

"Amerikan Rüyası" deyiminin ilk kez James Truslow Adams'ın 1931 yılında, yani milyonlarca kişinin işsiz olduğu bir dönemde basılmış olan "Amerika'nın Destanı" gibi görkemli bir ad taşıyan kitabında geçmesi benim için her zaman ilham verici olmuştur.

Adams Amerikan Rüyası'nı, "Yaşamın herkes için daha iyi, daha zengin ve daha dolu olabileceği bir ülkenin rüyası" olarak tanımlamıştı. Amerikan Rüyası, geleceğe olan inancın çok sağlam bir teyididir.

Bu rüyanın her zamankinden çok insan için kolaylıkla erişilebilecek olduğu bugünde ise, pek çok insan geleceğe bakıp korku duyuyor. Sorun sadece riske girmekten korkmaları değil. Neredeyse her şeyden korkuyorlar! Yaşamdan korkuyorlar! Bu ise başarısız olmanın en şaşmaz reçetesidir.

Gemi kaptanlarının bilinmeyen bölgelerde kaybolmaktan korktukları çağları artık geride bıraktık. Bugünün modern bilim çağında, sanayileşmiş Batı dünyasında, gelecek korkusu artık mantıksızdır. Ama eğer başarısız olmak istiyorsanız, o zaman doğru tavırdır.

Eski Yunan'daki evrenbilimde tanrıların sahip olduğu

en değerli yetenek olacakları, yani geleceği bilebilmeleriydi. Ölümlü insanlar bunu bilemezler. Ne eski Yunan'da, ne de şimdi.

Gelecek günlerde ne olacağını kimse bilmiyor. Ama hiç kimse. Ne dünyanın bütün kahinleri, ne de Massachusetts Teknoloji Enstitüsü'nün bütün bilgisayar programları yarın güneş mutlaka doğacak diyebilir. Çünkü belki de doğmayabilir. Gerçek, büyük olasılıkla doğacağıdır. Ama kimse kesinlikle bilemez.

İnsanların bilinmeyenden korkmaları için her zaman nedenler olmuştur ama daha çok bilgi sahibi olup her şeyin nedeni hakkında daha bilimsel bir yaklaşım edindikçe, genel olarak korkmamız için var olan nedenlerin giderek azaldığını fark ettik. Örneğin yer çekimi gibi doğa yasalarının değişmeden işlemeye devam edeceğinden pek kuşku duymayız. Uzak yerlere uçakla ya da gemiyle, büyük ölçüde güven içinde seyahat edebileceğimize belli ölçüde inanırız. Benim kesin ölümcül olabilir diye hatırladığım çok sayıda hastalıkla artık başa çıkabileceğimize inanmak için nedenlerimiz var. Verem sanatoryumları, çocuk felci koğuşları, cüzzam kolonileri artık neredeyse tümüyle ortadan kalktı. Kısacası, geleceğe artık belli bir güvenle bakabiliriz. Her halde Roosevelt'in bize korkmamamızı söylediği zamankinden daha büyük bir güvenle.

Fakat biz insanlar zıt yaratıklarız. Geliştirdiğimiz bilimsel yöntemleri, kendimizi gelecekten iyice korkutmak için kullanmanın yollarını bulduk. İşin aslı şu ki, ufukta görülen bir korku yoksa, kendimiz yaratıyoruz. Aramızda, neresi olursa olsun, bir yerlerden üstümüze her an bir felaketin yaklaşmakta olduğunu tahmin eden en gelişmiş matematiksel bilgisayar projeksiyonlarını kullanmaktan ısrarlı ve sapıkça bir zevk alanlar var. Örneğin küçük Güney Amerika arısının adını "katil arı" koymak gibi. Ya kuş gribi paniği? Her haber dergisi, her gazete, her TV sunucusu grip taşıyan kuşların gagasında, insanlığın büyük bölümünün sonunu getireceğinden korkuyordu.

Gerçek şu ki, tarih boyunca felaket tellalları hep vardı ancak bunlar, Aydınlanma Çağı'ndan beri daha da inandırıcı olmuşlardır. Çünkü bilim adamları artık sadece ürkütücü olmakla kalmayıp, aynı zamanda somut kanıtlara ve sözde mantıksal düşünceye dayandığı iddia edildiği için daha da korkunç olan tahminler üretmek için bilimsel yöntemleri ve istatistiksel modelleri kullanmaya başladılar. Saçı sakalı birbirine karışmış bir falcının fincanın dibinde dünyanın sonunu görmesine inanmayabilirsiniz. Ama bir bilim adamı kalkıp da vardığı ve aynı ölçüde büyük bir felaket ifade eden bir sonucu kanıtlayan ve görünüşe göre inkar edilemeyecek kadar bilimsel olan bir dizi veri sıralarsa, elinizin altında farklı veriler yoksa, ki pek çoğumuzun yoktur, bunların aksini savunmak kolay değildir.

Kötümserlik: 200 Yıldır Süren Korku Tacirliği

Giderek büyüyen bir sektör haline gelen kötümserlik, bir taşra rahibi, matematikçi ve siyasi ekonomist olan Thomas Robert Malthus sayesinde, tam anlamıyla hız kazanmıştı. Malthus'u pek çok kişi nüfus biliminin babası kabul eder. Çağdaş karamsarlığın babası olduğu ise tartışılmaz bir gerçektir.

1798 yılında yayımlanan Nüfus Prensibi Üzerine bir Deneme adlı eserinde Malthus, insan nüfusu kaçınılmaz olarak gıda kaynaklarından daha hızlı artacağı için, tüm insanların sonunun geleceği tahminini ortaya atmıştı. Bunun yakın bir zamanda, muhtemelen bir sonraki yüzyılda olacağını düşünüyordu. Bu kaçınılmaz felaketi tek şey geciktirebilirdi, o da felaketin kendisiydi. Bu nedenle, gerçek Malthusçular, İrlanda'da patates ürününün heba olmasıyla büyük bir açlığa yol açan ve benim atalarımı da Amerika'ya göçe zorlayan, büyük kıtlığı, aşırı nüfus artışının doğal yollarla dengelenmesi olarak çok olumlu karşıladılar. Rahip efendinin karamsar matematik hesaplarına pek inanan Victoria çağı "aydınları", Hindistan'da sık sık yaşanan kıtlıkları da aynı hoşgörülü umursamazlıkla karşılıyorlardı.

Bugün bile Malthus, çağdaş karamsarlık sektörünün büyük bölümünün dayanağı ve ilham kaynağı olmaya devam etmektedir. Ben Nüfus Bombası adlı kitabın yazarı Paul R. Erlich'in kötümser kehanetlerini de gördüm. 1968 yılındaki tahminlerinde, 1970'lerde 100 milyonlarca insanın açlıktan öleceğini ve 1980'lerde ortalama ömrün büyük bir hızla düşeceğini söylemişti. Hiçbiri olmadı. 1972 yılında ise o utanç verici Roma Kulübü raporuna göre güya 1990'larda bir sürü temel hammadde kaynağı tükenecekti. O da olmadı. Roma Kulübü daha sonra Büyümenin Sınırları adlı güncellenmiş iki tahmin daha yayımladı ama her ikisi de daha ilk çıktıklarında bile kabul görmedi çünkü kaynak arzının sabit kalacağını varsayımına dayanıyorlardı. Bu raporlar, insanların teknolojide sağlayacakları ilerlemelerle ikame kaynaklar bulacağı ya da yaratacağını göz ardı ediyor ve insanları bir koyun sürüsünden farksız görüyordu. Doğrudur, koyunları kendi hallerine bırakırsanız, çayırda hiç yeşillik kalmayana kadar otlarlar. Halbuki Latince'de "bilge olan insan" anlamına gelen homo sapiens ise, herhalde ya daha çok ot yetiştirmenin yollarını bulacak, ya da koyunları başka yere götürecektir.

Ne var ki her zaman hazırda karamsarlık kaynağı bulunur. Daha fazla ot yetiştirerek mutlaka ekosistemin bir yerinin dengesini bozuyoruzdur ve bize bunu hatırlatacak biri çıkacaktır. Biraz neşelenmek için televizyonu açtınız diyelim. Karşınızda sırtında sarı yağmurluğuyla yüksek dalgaların önünde görülen hava raporu sunucusu size Seychelles Adaları açıklarında oluşan ya da oluşmayan, kuzey-kuzeydoğu ya da batı-güneybatıya yönelen, karaya ya da denize doğru ilerleyen çok tehlikeli bir fırtınayı haber veriyor. Gelişmeleri izleyin.

> *"En kötü senaryolar nadiren gerçekleşir."*
>
> –Anonim

1970'LERDE dünyanın sonu yakında küresel buzlanmayla, 1970'lerde daha yakında Chernobyl yüzünden, 20. yüzyıl biterken Y2K sayesinde gelecekti. Elmalarımıza bulaşan kimyasallar yüzünden ölecektik, elektrik iletim hatlarından kanser olacaktık, cep telefonlarımızdan kanser olacaktık, gıda boyalarından kanser olacaktık, diyet meşrubatlardaki siklamat denilen yapay tatlandırıcılardan kanser olacaktık.

Tatlandırıcı paniği 1970'li yıllarda baş gösterdiğinde, bilim çevrelerinden pek çok kişi, söz konusu kimyasal dozlarının çok büyük olmasından dolayı bu iddianın asılsız olduğunu düşünmüştü. Kanser uyarısı görülen zavallı deney farelerine, bir insanın günde 700 şişe siklamatla tatlandırılmış içecek almasına denk miktarda tatlandırıcı verilmişti. Hayvanlar neredeyse boğularak öleceklerdi! Buna rağmen siklamat yasaklandı ve yerine sakarin kullanılmaya başlandı.

Bir noktada insanlar artık bütün bunlardan bıkıp, bu karamsarlık sektörü konusunda öfkeli bir karamsarlık geliştirir diye düşünebilirsiniz. Ama hayır.

Karamsarlık: Başarısızlığa Odaklanmak

Medyanın haline bakarsak, belki de kötümserlikten asla kurtulamayacağız. Malthus'un kendisinden sonra, karamsarlığa verilen en büyük armağan televizyon olmuştur. Dünyayı televizyonun merceğinden görüyoruz ve o mercek dünyayı hiç iyi göstermiyor. Bir mimar dostum, dünyanın en güzel binalarını bile çirkin gösterebileceğini söylemişti. Bütün yapılması gerekenin kamerayı alıp belli açılar kullanarak binanın bazı özelliklerini belli bir biçimde ve inceliklerini kusur olarak gösterecek gibi öne çıkarmak olduğunu söyledi.

En zarif gökdelen bile, bir anda kenti çirkinleştiren bir yapı gibi görünebilir.

Her gün durmadan dünyadaki başarısızlıklara odaklanırsanız bu, yaşama ve geleceğe karşı tavrınızı belirler. Kimilerinin Robert Louis Stevenson'a atfettiği, kimilerine göre ise sahibi bilinmeyen şu dizeleri çok severim: "İki adam parmaklıklardan dışarı baktı, biri çamuru gördü, biri yıldızları." Başınızı şöyle bir eğmeniz, belli bir tavır, dünyanızı biçimlendirmenizde çok büyük fark yaratır.

Habercilik mesleğinin esası asla iyi haberler değildir. İnsanların dikkatini kötü şeyler çeker. Bu aslında çok mantıklıdır. Milyonlarca aracın sabah çıkıp akşama kazasız belasız eve döndüğünü bilmek hoş bir bilgidir. Ama on otomobilin zincirleme kaza yapması haberdir!

Bu kadar habere boğulduğumuz hiç olmamıştı. Durmadan, her yerde kötü şeyler oluyor.

İnternet'in ve kablolu kanalların yedi gün 24 saat haber üretmeleri sayesinde, gırtlağımıza kadar felaket uyarılarına ve dünyanın her yanından gelen felaket haberlerine batmış durumdayız.

Kaygılarımızın düzeyini birkaç kat artıran bir başka olgu ise düzmece tartışmalardır. Giderek, inkar edilemeyecek bilimsel kanıtlar gösterilebilecek olanlar da dahil, sanki her konunun ille iki ya da daha fazla tarafı olduğuna inanmaya zorlanıyoruz. Nezaket konusunda zaten eskiden beri bir hayli fakir olan toplumumuz, bir konuyu sanki tartışıyormuş edasıyla bağrışan kimselerin katıldığı televizyon programlarına katlanmak zorunda. Bu programlardan çıkarabileceğiniz sonuç muhtemelen her şeyin tartışmaya açık olduğu, her şeyin kapanın elinde kalabildiği, her şeyin bir artısı ve bir eksisi olduğu ve ispat yükümlüğünün olumlu bakan tarafta olmasından dolayı, negatiflerin çoğu zaman pozitifleri alt ettiği olabilir. Dünyanın çivisinin çıktığını iddia etmek her zaman daha kolaydır. Bu, bağırıp çağıranlar için hep çok eğlendirici olmuştur ama izleyicileri rahatsız eder.

Son birkaç onyıl öncesine kadar haberleri gazetelerden alırdık. Başlıklar ne kadar heyecanlandırıcı olursa olsun, gazeteler sessiz ve sakindir. Çevrilen bir sayfanın çıkardığı ses bile insanı rahatlatır. Radyo bile etkin bir haber kaynağı haline geldiğinde, şimdiki televizyon haberlerinden çok daha az tehdit edici ve çok daha yumuşak bir araçtı. Sinemalarda filmden önce gösterilen haberler ya İkinci Dünya Savaşı'ndaki zaferlerin olumlu haberleri, Howard Hughes'ın Spruce Goose adı özel uçağı ya da bir çiftçinin yetiştirdiği 400 kiloluk balkabağı hakkında olurdu.

İlk televizyon haberleri oldukça kısa ve anlaşılması kolay haberlerdi. Artık öyle değil. Haber bombardımanıyla en önemsiz sorunlar karşısında bile sonsuz bir çaresizliğe itiliyoruz.

Hem heyecan arıyoruz, hem de güvenlik saplantımızdan vazgeçmiyoruz.

Tost makinelerinin banyoda kullanılacak oyuncak olmadığını söyleyen uyarlar görüyoruz. Otellerde şöyle uyarılara rastlıyoruz: CALIFORNIA SAĞLIK DAİRESİ, BU OTELİN YAPIMINDA SAĞLIĞA ZARARLI OLABİLECEK MALZEME KULLANILDIĞINI TESPİT ETMİŞTİR. MARRIOTT OTELE HOŞ GELDİNİZ.

2007 yılında yapılan En Uçuk Uyarı Etiketi yarışmasını, küçük bir traktörün üzerindeki şu etiket kazanmıştı: TEHLİKE: ÖLÜMDEN SAKININ!

Bugünlerde çocuklara bir bakın. Sanki yataktan kalkarken kask giyecekler. Dizlikler, dirseklikler takıyorlar, araç koltuklarına bağlanıyorlar ve öyle bir sarmalanıyorlar ki başlarını kaldırıp gökyüzünü bile göremiyorlar.

Korku Hali (State of Fear) adlı kitabında Michael Crichton, aynı gün içinde biranın hem kalp kasları için koruyucu olduğunu hem de kanserojen olduğunu okuduğunda şaşırıp kaldığını anlatıyor.

Düşük Karbonlu bir Hayat Nasıl Yaşanır adlı kitabın İngiliz yazarı ve Yeşiller Partisi'nin önde gelen üyelerinden olan Chris Goodall bize şu iç karartıcı haberi veriyor: Eğer beş kilometre uzaktaki bakkala yürüyerek gidersek, arabayla gitmekten daha fazla karbondioksit üretirmişiz çünkü yürüyebilmek için beslenmeliyiz ve besin maddelerinin yetiştirilmesi için de çok fazla enerji tüketiliyormuş. Yani, küresel ısınmanın tek çaresi hepimizin, TV'leri, buzdolaplarını fişten çekip, klimaları kapatarak karanlık odalarda hiçbir şey yapmadan ve hiçbir şey yemeden oturmamız oluyor.

Kötümserlik: Geçmişin Zorbalığı

Vanguard Fonu'nun kurucusu John Bogle, çoğumuzda "kayık" zihniyeti olduğunu söylemişti. Geleceğe tıpkı bir kayıkta kürek çeker gibi ilerliyoruz. Akamız dönük ve sadece geçmişe bakarak.

Herkes arada sırada biraz nostalji yapar. Zaman, geçmişin en paslı anlarını bile parlatır. İyileri hatırlayıp kötüleri unutmak insanın doğasında vardır ve yaşadığımız unutkanlıklar için şükretmeliyiz.

İnsan doğasının bir başka yanı da genç kuşaklara biraz

kuşkuyla bakmaktır. Saint Augustine, Aristo, Homeros ve hatta eski Asurlular genç kuşakları büyüklere saygı göstermedikleri, tembel ve disiplinsiz oldukları ve "eski günlerdeki gibi" davranmadıkları için suçlamışlardır.

Şunu okumak herkesi çok rahatsız eder: "Okullarımızda 12 çocuktan 11'i, okuduğu sözcükleri anlamıyor." Bu söz daha dün yazılmış da olabilir ancak 1838 yılında Horace Mann tarafından yazılmıştır. 50 yıl önce Will Rogers şöyle demişti: "Okullar eskiden oldukları kadar iyi değil, ama zaten hiçbir zaman değillerdi."

Biraz nostaljinin kimseye zararı olmaz. Ama ne yazık ki Bogle'ın kayığını pek seven ve geçmişi bir türlü aşamayan çok insan var. Geçmiş daha iyi bilinen, az da olsa anlaşılabilen, dolayısıyla şimdiye kıyasla içinde daha rahat edilebilen bir yerdir ve kuşkusuz gelecekten daha rahattır. Bu tür insanların yaşadığı kötümserlik, onlar için gerçekten bir külfettir çünkü derinden derine ilerlemenin mümkün olmadığına inanırlar. Hiçbir şey eskisinden daha iyi değildir ve hiçbir şey daha iyi olmayacaktır. Gelecek korkusunun başarısızlığa giden yolu açtığını gösteren örnekler uzar gider ve korku mikropları her gün şirketlerin çevresinde pusuya yatar.

Tabii ki bir felsefi düşünüş olarak gelişmeye tüm kalbimle inanıyorum. Köylü atalarımızın yaşantılarının aynısını biz de yaşamaya elbette mahkum değiliz. Sadece geçen yüzyılda olanlara bir bakalım.

1900'lü yıllarda ABD'de ortalama yaşam beklentisi 47 yıldı. O tarihlerde yediğimiz her şey organikti. Ortalama bir işçi yılda 400 dolar kazanırdı. 1901 yılında başkanımız McKinley bir suikastta öldürülmüştü. Amerikan toplumu her zaman olduğu gibi o zaman da kargaşa içindeydi. Ama yine de dünyanın her yanından akın akın insan Amerika'ya geliyordu çünkü burada daha varsıl ve daha dolu bir gelecek bulacaklarına içtenlikle inanıyorlardı.

Bu ülkede meydana gelen devrim niteliğindeki değişimler, bir zamanlar mutlak, değişmez ve hiçbir umut bırakmayacak kadar kalıcı olduğunu sandığımız şeyleri altüst etti. Bir zamanlar iş bulma merkezlerinde "İRLANDALILAR BAŞVURMASIN" yazarken, şimdi İrlandalıların olmadığı yer yok.

Afrikalı–Amerikalılar'a gösterilen tek kapının arka kapı olduğu zamanlar yaşadık. Bu engeller zamanla yıkılıyor. Yavaş da olsa adım adım ilerliyoruz ve bugün artık giderek daha çok açılan kapılardan Afrika kökenli Amerikalılar, sahip oldukları bir hak olarak ülkenin en üst makamına ulaşmayı hedefliyor.

Bir zamanlar kadınlar, bazı mesleklerden, eğitimden, yani yaşamın pek çok alanından dışlanırdı. Bugün ise tüm üniversite birinci sınıf öğrencilerinin, tıp, hukuk ve iş yönetimi fakültelerine girenlerin yarısından fazlası kadın. Fazla hızlı gitmiyoruz ama bazılarının nazik bir deyimle "gelenekselcilik" olarak tanımladığı tavırların taş gibi katı merkezlerinde bile artık gelişmeler görüyoruz. Notre Dame Üniversitesi'ndeki dostum Rahip Ted Hesburgh, bunu "gerici keçi inadı"olarak tanımlar.

İkinci çocuğumuz olan kızım Shayla, Notre Dame'a ilk alınan kız öğrencilerdendi. Yıl 1972'ydi ve Peder Hesburgh o günlerde devrimci sayılan bir adım atarak, 1842 yılında kurulmuş olan bu üniversitenin artık sadece erkeklere özgü bir yer olmayacağına karar vermişti. Shayla'nın okulu tanımak için ilk gittiği günü gayet iyi hatırlıyorum çünkü bu fikre okulun içinden bayağı bir tepki vardı ve ilk kız öğrencilerin anne babaları olarak hem biz hem de elbette kız öğrenciler biraz kaygılıydık.

Güne sabah ayiniyle başlandı. Üniversitede nasıl muamele göreceklerini kaygıyla izleyen 125 genç kadın ve aileleri oradaydı. Gür beyaz saçları ve beyaz cüppesiyle Peder Hesburgh, mihraba çıktı. Kendisi müthiş bir zamanlama duygusuna sahip olduğu için, o anın bu programın başarısı adına ne kadar önemli olduğunun hepimiz farkındaydık. Kollarını kaldırdı ve yukarıdaki ünlü altın kubbenin üstündeki Meryem heykeline doğru şöyle seslendi: "Meryem Ana, senin kızlarını buraya almak 130 yıl sürdü; özür diliyorum."

Öylesine olağanüstü bir andı ki, anne babalar olarak bizler ve çocuklarımız, kendimiz, üniversite ve bu ülken kadınlarının geleceği için çok büyük bir iyimserlik ve umut duygusuna kapılmıştık.

Karamsarlık: Korku Tutukluğu

En Büyük Kaynak (The Ultimate Resource) adlı kitabın yazarı olan ekonomist Julian Simon, hayattayken mesleki çabalarının büyük bölümünü, Malthus'un felaket teorisinin yanlışlığını kanıtlamaya adamıştı. Simon şu uyarıyı yapmıştır:

Daha müreffeh bir maddi yaşama yönelik ilerleme, gökten düşmez.

Benim vereceğim mesaj asla bir haline razı olma tavrı değildir. En büyük ve nihai kaynak insandır. Özellikle genç, becerikli, enerjik ve özgürlüğü yaşayan insanlardır. Bunlar kendi çıkarları için iradelerini ve hayal güçlerini kullanacaklar ve bu arada bizlere de yarar sağlayacaklardır.

Uzun yıllar önce tanışma onuruna eriştiğim Helen Keller bir zamanlar şöyle demişti: "Kötümser hiçbir insan asla ne yıldızların sırrını çözmüştür, ne bilinmeyen ülkelere yelken açmıştır ne de insanın ruhuna yeni bir cennet vermiştir."

Ciddi karamsarlığın en büyük sorunu, insanı mutlak biçimde felç etmesidir. İnsanlar kötü sonuçlardan öylesine korkarlar ki, çaresizlikle ellerini iki yana açıp, hiçbir şey yapmazlar. Gelecekten korkmak, geleceğin başarısız olmasını garantiler.

Amerikan ekonomisi 1941'den bu yana ciddi bir depresyona girmedi ama anketlere göre çok büyük sayıda Amerikalı, umut kıracak ölçüde karamsar.

Ekonomimizin içindeki değişik sektörlerinin batacağına nasıl da kolayca hükmettiğimize hiç dikkat ettiniz mi? Son 25 yılda uzmanlar en az 10 - 12 kez, imalat sektörünün cenazesini kaldırdı. Halbuki ben bunları yazarken bile, imalat sektörü Charleston'daki robot bilim merkezinden, Seattle'da uçak yapımına kadar, ülkenin her yerinde yeni ve yüksek ücretli istihdam yaratmaya devam ediyor. Ülkenin kuzeyinde ve güneydoğusunda daha küçük merkezlerde imalat alanında çok sayıda yeni iş olanakları ortaya çıktı. Enerji tasarrufu, kirliliğin azaltılması ve gezegenimizde çevreyi daha iyi hale getirmek gibi çabaların doğurduğu yepyeni sanayileri saymıyorum bile.

Bir zamanlar üniversiteden iki iş yönetimi hocası bana şunu sormuştu: "Küresel deneyimlerinizin ışığında, yeni bir şirket kurmak için en iyi zaman ne zamandır? Siz böyle bir girişim için hangi ön koşulları ararsınız?"

Eğer korku tacirlerine inanacaksanız, hiçbir şeye başlamak için uygun zaman asla olmaz. Her zaman olumsuz bir şey vardır. İş modelinde mutlaka eksikler vardır ve yüzeyin altında sorunlar, mayın gibi yatmaktadır.

Yok eğer girişimcilerin o gerekli yaratıcılığına inanıyorsanız, o zaman her an doğru andır. Ön koşullara gelince, şunları sormak yeterlidir: "Orada insanlar var mı? Bunlar yiyip içiyorlar mı? Herhangi bir ekonomik faaliyet sürüyor mu? Mal ve hizmet değişimi imkanı var mı?" Bunlara olumlu yanıt verebiliyorsanız, o yer bir iş kurmak için iyi bir yerdir ve zaman da uygun zamandır.

Eğer iyimserseniz, sabırlı da olabilirsiniz. Coca-Cola'nın uzun geçmişinde, bazı dönemlerde bazı yerlerden tamamıyla dışlandığı olmuştur. Örneğin Arap ülkelerinin hepsinden, Çin'den, Hindistan'dan ve Küba'dan. Bu ülkelerden, Küba hariç hepsine yeniden dönmüş olmaktan mutluyuz. Ama Küba defterini kapatmadık ve Coca-Cola Şirketi'nin şimdiki yöneticilerinin, bu ülkeye dönüşümüzü olası gördüklerinden eminim.

İş dünyasında herhangi bir biçimde lider olmak istiyorsanız, iyimser olmalısınız.

Coca-Cola'yla çalışmak, işte bunun için, bana büyük

mutluluk vermiştir. 1930'lardaki Büyük Buhran süresince, İkinci Dünya Savaşı sırasında ve ulusumuzun geçirdiği diğer karanlık dönemlerde bu ürün, her zaman yaşamın daha aydınlık yanını temsil etmiştir. Başka hiçbir şey olmasa da, Coca-Cola iyilik habercisidir.

İşte 1974 yılının o karamsar ortamında ben ve diğer iş arkadaşlarım şirket reklamları konusuna bu moralle bakıyorduk.

Ne yıldı ama! Başkan Nixon'un Watergate skandalında suça ortak olduğu kararı verilmiş ve istifa etmek zorunda kalmıştı. Ortadoğu'daki petrol üreticisi ülkeler ABD'ye petrol sevkiyatına ambargo koymuşlardı. Ülkenin her yerinde benzin darlığı patlak vermişti. Belfast'ta ve Londra'da, hatta ünlü Harrod's mağazasında IRA'nın kanlı terör saldırıları meydana gelmişti. ABD'de de bize özgü terör olayları yaşanıyordu. Patty Hearst'ün Symbionese Kurtuluş Ordusu adında bir grup tarafından kaçırılması gibi. Hindistan atom bombası yapmıştı. Ve biz hâlâ Vietnam savaşından kendimizi sıyırmaya çabalıyorduk. Kısacası, Amerika için hiç de iyi günler değildi.

Bu nedenle de Coca-Cola'nın iyimser olmasının tam zamanıydı. Pazarlama müdürümüz Ike Herbert ile konuştuk ve kendisi, çok yaratıcı bir kişi olan Bill Backer'in yönettiği reklam ajansımızdan, ülkenin bozuk moralini düzeltmeye yardımcı olacak bir tema bulmalarını istedi. Backer son derece yüreklendirici bir reklam dizisi tasarladı. Sloganı "Kaldır başını, Amerika" idi.

Bu reklama harika tepkiler geldi. İnsanlar üşenmeden bize reklamı beğendiklerini anlatan mektuplar yazdılar. Reklam, bu benzersiz markanın, Amerikan ruhundaki benzersiz rolünü gösteriyordu. Coca-Cola küçük de olsa, bir biçimde ulusun ruh halini etkileyecek yeteneğe sahipti. Bu yetenekle birlikte bir de sorumluluğumuz vardı. Bu, pazarlama çalışmalarımızda asla yakışıksız bir şey üretmemekti. Her zaman geleceğe olan güvenimizi gösterme sorumluluğunu yüklenmiştik.

İş hayatında her hangi bir biçimde lider olmak istiyorsanız, mutlaka mantıklı bir iyimser olmalısınız.

Karamsarlar okyanusunda bir tek iyimser, çok büyük fark yaratabilir.

Aristo milattan önce 4. yüzyılda yazdığı De Anima'da, beş duyuyu sayar: Görme, koku alma, işitme, tat alma ve dokunma. O tarihten beri bu konuda herkes hemfikirdir. Ama ben bir altıncı duyu olduğuna inanıyorum. Bir ruh halini sezme duyusu. Buna ister önsezi, ister içgörü, ister duyarlık deyin, başarılı insanlarda bu duyu vardır. Büyük pazarlamacılarda vardır. Siyasetin ve iş dünyasının büyük liderlerinde vardır.

Bu insanlar hakim atmosferi bilirler ve olumsuz olduğu zaman onu nasıl değiştireceklerini sezerler.

Yıllar önce, daha İspanyol-Amerikan savaşından bu yana hep güçlü bir işletme olagelen Filipinler'deki Coca-Cola şişeleme faaliyeti, baş aşağı gitmeye başlamıştı. Bu işin sahibi olan San Miguel şirketi, biracılık işini büyütmeye odaklanmış ve gerçek tabanı olan meşrubat işini ihmal etmeye başlamıştı. 1981 yılında, durum iyice aleyhimize dönmüştü ve

Pepsi satışları ikiye bir oranında Coca-Cola'yı geçmişti. Sonunda üst düzey yöneticilerimizden John Hunter, San Miguel'in sahiplerini Coca-Cola şişeleme faaliyetini ortak girişim olarak yürütmek için bir anlaşma yapmaya razı etti. Tesis aynı kaldı. 12 bin işçi de değişmedi. Sadece iki şeyi değiştirdik. Japonya'da ve Pasifik bölgesinde Coca-Cola için çalışmış Avustralyalı John Hunter bölgenin Coca-Cola Şirketi temsilcisi oldu. Güney Afrika'da ve kısa bir süre de Avustralya'da Coca-Cola ile çalışmış olan İrlandalı Nevill Isdell de şişeleme operasyonunun başına geçerek 12 bin kişilik ekibin patronu oldu.

John ve Neville el ele vererek Filipinler'deki şişeleme şirketini değiştirmeye ve canlandırmaya çalıştılar. Neville şişeleme fabrikasının sayıları birkaç bini bulan memurlarını örgütledi ve bir plan yapıldı. Filipinler'deki siyasal sorunlar herkes için fazladan bir gerilim nedeniydi. Üstelik rakipler de kullandıkları taktikler ve fiyatlama konusunda bizi çok zorluyorlardı. Fakat hepsinden ötede, şişeleme faaliyetinin başı olarak Neville, çalışanların kendilerini çok küçük gördüklerini, gelecek hakkında çok karamsar olduklarını, hatta korktuklarını fark etti. İş faaliyetinde eskisine göre temel bir değişiklik yoktu ama atmosfer çok mutsuzdu.

Neville tulumları giyip, işçileri canlandıracak eğlenceler bile düzenliyordu. Sürekli tesisin içinde dolaşıyor, herkese adıyla hitap edip ailelerinin hatırını soruyordu. Kamyon tepesinde mal teslimatına gidiyor, müşterilerle konuşuyordu. Herkesi kucaklayan ve ölçüye gelmeyen bir heyecanı vardı ki, bunu ancak görünce anlamak mümkün oluyordu. Bu liderlik özelliğiydi.

İşine odaklanmış, dayanışma içinde çalışan iki adam, Hunter ve Isdell, tek başlarına ve bir yıl içinde şirketin gidişini tamamen tersine çevirdiler. Coca-Cola, Pepsi satışlarının ikiye bir önüne geçmişti.

Neville Isdell şişeleme fabrikasının işçileriyle ne yapmıştı? Sadece çalışanlarıyla bağ kurmuş ve temelde onları rakiplerinden daha iyi olduklarına inandırmıştı. Bir de onlara aydınlık bir gelecek tablosu göstermişti. Öylesine tutkulu bir iyimserliği vardı ki, en aşağıdaki temizlikçiden Manila'daki en büyük toptancı müşteriye kadar herkese bulaşıyordu.

John Hunter daha da ilerledi ve Coca-Cola Şirketi'nin uluslararası işlemlerden sorumlu icracı başkan yardımcısı oldu. Şirketten emekli olduktan sonra da Seagram's şirketinde uluslararası işler başkanlığına geldi.

Neville Avrupa'daki faaliyetlerimizi yönetti ve en büyük şişeleme fabrikalarımızdan birinin başkanı oldu. Bu kitabın yazıldığı dönemde Coca-Cola Company'nin CEO'su olarak hâlâ o herkesi etkileyen iyimserliğini yaymaya devam ediyordu.

Karamsarlar bize dünyanın bir kaostan doğduğunu ve o zamandan beri hep kötüye gittiğini söylerler. Ama yaşam için umudumuz olmalıdır. Diğer insanlara karşı içimizde bir güven olmalıdır. Yarının geleceğine inanarak bir iş, bir aile kurmanın da, gün batımından zevk almanın ve çabalamaya devam etmenin de anlamı olduğuna inanmalıyız.

Başarısız olmak istiyorsanız, gelecekten korkun. Başarılı olmak istiyorsanız, geleceğe iyimserlikle ve tutkuyla yaklaşın.

Ve işte şimdi size bir bonus. On Birinci Emir.

On Birinci Emir

İşinize
ve
Yaşama Olan Tutkunuzu Yitirin

"Dünyada hiçbir başarı
tutku olmadan elde edilmemiştir."

–Georg Wilhelm Friedrich Hegel

BİR ZAMANLAR BABAM, bu ülkenin sahip olduğu dehanın, Bağımsızlık Bildirgemiz'de yer alan şu sözcüklerde saklı olduğunu söylemişti: "Yaşam, Özgürlük ve Mutluluk Arayışı."

En çok Mutluluk Arayışı üzerinde dururdu. Bu ifade, ülkemizin Kurucu Atalar'ının yaşamda sadece mücadele etmekten daha fazla şey olduğuna inandıklarını anlatıyordu. Ekmek gerekliydi, ama güller de olmalıydı.

İrlandalı olduğu için yaşamın karanlık ve yürek burkan yanlarından payını almıştı. Dolayısıyla kuruluş ilkelerinin arasına "mutluluk" sözcüğünü koymanın cesareti ve inanılmaz iyimserliğiyle doğmuş bu yeni ulustan daha da çok etkileniyordu.

Mutluluk! Bunun gerçekte ne olduğunu kimse bilmez ama bu ülke, mutluluğa erişilebileceği inancıyla kuruldu.

İş dünyasında mutluluğun ne olduğu konusunda benim de fikrim var.

"Bana neyi sevdiğini söyle, sana kim olduğunu söyleyeyim" diyen atasözü doğru der. Sevgi her zaman hayatımızda oldu. "Love" yani sevgi sözcüğü, eski Sanskritçe'de arzu demek olan "lubh" sözcüğünün Veda veya Hindu inancındaki biçiminden gelmiştir. İş hayatında mutluluğun en başta gelen ögelerinden biri, ne olursa olsun, yapmayı sevdiğiniz bir iş bulmak ve onu yapabilmektir. Başarılı olmak için, sabah yataktan kalkıp işe gitme isteğini güçlü bir biçimde duymalısınız.

Warren Buffett, "İşe her gün güle oynaya giderim" diyor. Benim de felsefem bu olmuştur.

Mesele yaptığınız işin eğlenceli olması değildir. Bu, takım ruhu gevezeliği edip "Kumbaya" şarkısı söyleyen bazı şaşkın insan kaynakları uzmanlarının ortaya attığı bir kavram hatasıdır. Çalışmak, yani gerçekten çalışmak çoğu zaman güç ve yorucu bir şeydir. Neville Isdell'in Filipinler'de yaptığı gibi güçleri harekete geçirmek, insanlara daha çok eğlenmelerini söylemek değildir. Onlardan, daha çok başarma yeteneğine sahip oldukları için daha çok çalışmalarını istemektir. İnsanlar, kendi başarılarından tatmin olabilmeleri için daha yüksek bir düzeyde çalışmayı hak eder. Sizi işinize güle oynaya gönderen şey işte o zorlu çalışmadır. Her gün gelen sorunları çözme tutkusudur.

Eğer gerçekten başarısız olmak istiyorsanız, yaptığınız

iş ne olursa olsun, içinizdeki tutkuyu yitirin. Yürüyüşünüzdeki o canlılık kalmasın. Kendinize "bu kadarı yeter" deyin. Ya da, "bu benim işim değil," "bana ne" ya da "nasılsa yakında emekli oluyorum" deyin.

Böyle yapan insanları hepimiz tanırız. Bu gri suratlı robotları her iş yerinde görebiliriz. Kendi mutsuzluklarında debelenen, bir mum yakmaktansa karanlığa lanet okuyan insanlardır. Onları hepimiz tanırız. Onlar başarıyı yakalayamayanlardır. Güzel bir yaşam sürdürseler bile yine de yeniktirler. Çünkü kendileri ve çevrelerindeki herkes için son derece düşük beklenti ölçüleri koymuşlardır.

Başarılı olup da yaptığı işi sevdiğini söylemeyen ve ona tutkuyla bağlı olmayan hiç kimse görmedim. Bugüne kadar işinde başarılı olan ama o işi gerçekten sevmeyen ne bir iş dünyası ne de siyaset lideri tanıdım, ne de bir gazeteci, sanatçı, öğretmen, doktor ya da herhangi biri. Böyle insanlar işlerine öylesine tutkundular ki, sorsanız başka hiçbir iş yapmayı düşünemediklerini söylerler. Sanki delicesine bağlıdırlar işlerine.

Ayrı ayrı şirketlerde pek çok değişik görevin yapılabildiği bu kariyer çağında, bu tutku kavramının modası geçmiş göründüğünün farkındayım. Birkaç yıl sürecek ve sonra bırakıp başka bir yere geçeceğiniz bir iş için insan nasıl tutku duyabilir? Bunun ne anlamı olabilir?

İşte, asıl bu yüzden tutkulu olmalısınız.

En başta, başarının şaşmaz formülünü bilmediğimi söylemiştim. Zaten bilmiyorum. Ama yaptığınız işe karşı içinizde bir tutkuyu nasıl geliştirebileceğinize dair birkaç öğüt verebilirim. Çünkü bunun sonradan da geliştirilebilecek bir şey olduğuna içtenlikle inanırım.

Shakespeare, "Tüm dünya bir sahnedir" demiş.

Günlük Yaşamda Kişiliğin Sunumu (The Presentation of Self in Everyday Life) adlı önemli sosyolojik yapıtında Erving Goffman, Shakespeare'in bu gözlemini irdeliyor ve yaptığımız her şeyde, bir biçimde oyuncu olmak durumunda olduğumuzu, üstelik bunu değişik birkaç rol üstlenerek yaptığımızı söylüyor. Mağaza tezgahtarı müşterilerine karşı bir rol oynar. Garson, lokantaya gelenlere. Avukat müvekkilinin karşısında, mahkemenin karşısında ve / veya iş ortakları karşısında bir oyuncudur. Doktor da hastaları ve / veya ortakları için bir rol oynar. Şirket yöneticisinin ise çalışanları ve / veya amirleri için oynadığı bir rol vardır.

Oynadığımız değişik rollerde başarılı olabilmek için hangi ortamda ve kimler olursa olsun, seyirciyle duygusal bir bağ kurmaya çalışmalıyız. Yaptığınız iş için, o işi yaparken güçlü bir duygusal güdüm yaratmalısınız. Rolünüzü benimseyin. O andaki rolünüzün ne olduğu kavrayın.

Lisedeyken sıkıcı bir dersten şikayet ediyordum. Annem, "Donald, sıkıcı ders diye bir şey yoktur. Sıkıcı olan, bu dersi ilginç yapan şeyin ne olduğunu bulmayı reddetmen" dedi.

Yaşamım boyunca, pek çok değişik ülkede, çok değişik görevlerde belli bir anda olanlara karşı ilgi duymak ve olaya dahil olan insanlarla bir bağ oluşturmak için bilinçli çaba gösterdim. Yan konuları ve gereksiz ayrıntıları kararlı biçimde göz ardı edip, o anda karşımdaki insanı dikkatle dinlemeye ve o kişinin ifade ettiği sorunun ilginç yanını bulmaya çalışırdım. Ve birkaç saniye içinde, o kişinin o konuya olan ilgisini paylaştığımı fark ederdim.

Karşımda duran belli bir işi yapmak zorunda kalmamış olmayı istediğim pek çok tatsız durum yaşadım. O zamanlar duruma bakar ve kendimi şunları düşünmeye zorlardım: "Bunun faydası ne olabilir? Bunun iyi olan yönü ne? Bunu geçekleştirmede benim rolüm ne olacak?" Ve genellikle olumlu bir yön bulurdum, çünkü bulmaya kararlıydım. İnsanın karşısına çıkabilecek en güç işlerden biri olan, bir çalışanın işine son vermek gerektiğinde bile, o kişiyi daha verimli bir mesleğe ya da daha uygun bir şirkete yönlendirmenin yollarını arardım.

Olabilecek en iyi sonucu almak için elinizdeki işi en iyi şekilde yapmak için tutkulu olmalısısınız. Çalışma ortamında içten gelen bir tutku yaratmanın en kolay yolu, kendi dünyanızın şu dört yönüne tüm aklınızı ve yüreğinizi vermektir: Müşterileriniz, markalarınız, çalışanlarınız ve son olarak hayalleriniz.

Müşterilerinizle Duygusal Bağ Kurun

Müşterilerinizin şirketinizden ne aradığını, ne beklediğini ve ne istediğini her gün kendinize sorun. İstedikleri bir ürün mü? Bir hizmet mi? Bir deneyim mi? Yardım, ilgi, tavsiye, uzmanlık mı? Belki de bunların hepsi. Ya da başka başka müşteriler başka şeyler istiyordur. Vereceğiniz bir şey ya da yapacağınız bir iş karşılığında size para ödeyecek olan insanlar gibi düşünmek için elinizden gelen çabayı gösterin. Müşterinin ne olduğunu gözden kaçırmak ve pazar ya da pazar payı denilen biçimi belirsiz bir kütleyi düşünürken her türlü heyecanı yitirmek çok kolaydır.

İstatistiksel soyutlamalar olmanın dışında, pazar payı diye bir şey yoktur. Sadece insanlar vardır. Bu insanların çehreleri vardır. Kitlenizi gözünüzün önüne getirmeye çalışın. Belirli insanları gözünüzün önüne getirin ve o insanlar için o gün ne yapacağınızı dikkatle düşünün. Uzun yıllar büromda durmuş bir fotoğraf vardı: 30 yaşlarında bir kadın, yüzünde bunalmış bir ifadeyle bir eliyle yüklü bir alışveriş arabasını iterken bir eliyle de ağlayan üç yaşlarındaki çocuğunu tutuyor. Resmin altında "Sizin müşteriniz bu" yazıyordu.

Coca-Cola Gıda Bölümü'ndeyken ve daha sonra ana şirket Coca-Cola Şirketi'nde çalışırken sık sık, müşterilerin ve müdavimlerinin konuşmalarını dinlemek için süpemarketlere ya da fast-food satış noktalarına uğrardım. Reklam ajansları bize müşteri prototipleri çizerler ve bunların tercihleri ve yaşam tarzları hakkında bir sürü istatistiksel bilgi verirlerdi. Ama ben arada sırada bu insanların seslerini duymak isterdim. Hizmet vermek istediğim insanlarla duygusal bir bağlantı, tutkulu bir bağ kurmak gereğini duyardım. Şuradaki kadına, oradaki adama, şu aileye ilgi duymak isterdim. Bu insanların bizim ürünlerimizin tadını çıkarmalarını içtenlikle isterdim.

Markalarınızla Duygusal Bağ Kurun

Sattığım her şeye aşık olurdum. Mickie, çocuklarım ve torunlarımdan sonra hayatımın en tutkulu ilişkisi, temsil etmek ayrıcalığını yaşadığım markalarla kurulmuştur. Onlarca yıl bu Coca-Cola oldu; şimdi de Allen markası ve Allen & Company şirketi.

Her zaman başaramadıysam da, bu isimleri her zaman daha çok korumak güçlendirmek ve geliştirmek istedim. Bunlar yeni markalarsa, onları büyütmek ve üstünde durabilecekleri sağlam bir zemin kurmak isterdim.

İş dünyasındaki en büyük güç marka ya da mark isimdir. Bu olmazsa sadece mal satıyorsunuzdur ve isteyen herkes elini kolunu sallayarak gelip sizin işinizin birazını alıp gidebilir. Ama güçlü bir markanız varsa bu, şirketinizi savunacağınız silahınız ve üzerine geleceği kuracağınız temeldir. Kağıt mendil satıyorsanız, başka pek çok insanın sattığı bir şeyi satıyorsunuzdur. Ama eğer Kleenex satıyorsanız, sunduğunuz özel bir şeydir.

Güçlü bir markanın yerini alacak hiçbir şey yoktur. Bu, pek çok biçimde tekrar tekrar kanıtlanmıştır. 2007 yılında Stanford Üniversitesi'nin yaptığı bir araştırma markanın gücünü bir kez daha ortaya koydu. Araştırmaya katılanlara süt, elma suyu ve havuç gibi basit yiyecekler, değişik paketler içinde verildi. Paketlerin biri düz kağıttandı, diğeri ise sarı kuşaklı McDonald's ambalajındaydı.

Sonucu elbette tahmin edebildiniz. İçinde hangi yiyecek olursa olsun, insanlar McDonald's paketini tercih etmişlerdi. Havuçlar bile daha lezzetli gelmişti.

Marka sihirli bir şeydir ve onun büyüsünü anlayıp onu tutkulu bir özenle kullanacak insanların elinde serpilip gelişir. Bir hukuk firması markadır. Bir hastane markadır. Ve çok gerçek anlamda, A.B.D. bir markadır. Sevgiyle davranılan bir marka tüketicilerde bir tutku yaratır. Hatta yatırımcılarda.

Ama eğer Schlitz birası gibi değeri bilinmemişse marka da, belki şirketin kendisi de yok olup gider.

Çalışanlarınızla Duygusal Bağ Kurun

Pek çok şirket "En değerli varlığımız insandır" der. Bu klişeleşmiş sözün içindeki bilgeliği gerçekten benimsemiş şirketlerde çalışmak şansına eriştim. Halen mensubu olduğum Allen & Company şirketinin kendine özgü bir kültürü var ki Herbert Allen bunu bir zamanlar "çalışanlar için bir refah devleti, sahipleri için katıksız kapitalizm" diye tanımlamış. Hebert Allen'in çok yetkin yönetimi altındaki şirkette kadrolu çalışanlar doyurucu ücretler ve kârlı geçen yıllarda ücretleri kadar da ikramiyeler alıyorlar. Fakat işletme müdürlerinin güvencesi yok. Onlar sadece kendi yarattıkları işlerden yüzde alıyorlar. Bu düzen her şirkette iyi sonuç vermeyebilir ama Allen & Company'de herkes bu sistemden memnun görünüyor ve çalışanların şirkete bağlılık oranları da bunu yansıtıyor. Bu şirketin kültüründe insanlara, sahip olduğumuz en değerli varlık gözüyle bakılıyor, çünkü bu gerçek.

Yalnız eldeki kanıtlara göre buna gerçekten inanan şirket sayısı pek fazla değil. İnansalardı onlar da Fortune dergisinin çalışanlar için en iyi şirketler listesine girerlerdi ve üst düzeydeki yetenekli insanlarını başka şirketlere kaçırmazlardı.

İnsanların bir şirketten ayrılmalarının bir nedenini daha önce anlattım: Boğucu bürokrasi.

Diğer bir neden ise tutku duyacak hiçbir şey bulamamalarıdır. İstihdam uzmanı Towers Perrin yaptığı bir araştırma sonunda, dünya genelinde çalışanların yüzde 35'inden fazlasının kendilerini, bağlılık hissetmeyen ve heyecansız olarak tanımladıklarını ortaya koymuş.

. Değerli çalışanlar için para ve yetki elbette önemlidir

ama daha da önemli olan, şevk ateşini tutuşturacak bir şeyin parçası olma fırsatıdır. Bir çalışana kendini tutkuyla vereceği ve en üstün çabasını göstermesinin beklendiği bir görev yüklemekten daha büyük bir motivasyon olamaz.

1907 yılında Ernest Shackleton, Güney Kutbu'nu keşif için çıkacağı sefere kendisiyle birlikte katılacak mürettebat toplamaya çalışıyordu. London Times gazetesine şu ilanı verdi: "Tehlikeli bir yolculuğa çıkacak elemanlar aranıyor. Ücret düşük. Aşırı soğuk. Saatlerce süren zifiri karanlık. Sağ olarak dönüş belli değil. Başarı halinde şan ve şöhret var."

Anlatılanlara göre ertesi sabah, yolculuk için seçilecek birkaç kişi arasına girmeyi uman 5 binden fazla erkek gazete yazıhanesinin önünde kuyruk olmuş.

Koşullar olumsuz olsa bile, değerli bir başarı kazanmak için duyulan güçlü bir arzu veya tutku pek çok insanda vardır. Bilmecenin büyük bir parçasını onlara verin, çözsünler.

Hangi alanda olursa olsun, çalışanların önüne gerçek bir sorunu inançla koyar ve kendilerindeki tutku ve yeteneği bu sorunu çözmede nasıl kullanacaklarını gösterirseniz, benim deneyimlerime göre, canlı bir heyecan dalgası, elektrik akımı gibi bütün kurumu sarar.

Bir alanda yaşanan tutku, bir başka alanda tutkunun kıvılcımı olur. Tutku bulaşıcıdır ve yeni fikirlere, yeni enerjilere götürür.

Hayallerinizle Duygusal Bağ Kurun

Hayaller sadece istemekle gerçekleşmez ama onları içselleştirirseniz, kendinizi onlar için hazırlamaya karar verirseniz ve gerçekleştiklerini gözünüzde canlandırırsanız, o zaman gerçek olmaları ihtimali büyür. Hepimiz Teilhard de Chardin'in sözünü ettiği "oluşma" durumundayız. De Chardin, yaşamımızdaki güçlerin buluştuğu ve kusursuzluğa en çok yaklaşabildiğimiz nokta olan omega noktasına ulaşmak için hepimizin çaba göstermesi gerektiğini söyler. O noktaya hiçbir zaman ulaşamayız ancak önemli olan o çabayı göstermektir.

Bir gün gelecek ve şimdi yaptığınız işi yapmıyor olacaksınız. Şu anda nerede olduğunuzu düşünün ve bir de ileride olacağınız yerin nasıl olmasını istediğinizi düşünün.

Pek çok insan ömrünü şu değerli dersi öğrenmeden geçirir. Hayat, her şeye sahip olmaktan daha fazla bir şeydir. İş yaşamınız ilerledikçe, yaptığınız her işte, bunun çalışacağınız en son görev olduğunu düşünün ve bu nedenle sizden beklenen ne olursa olsun, onu bulduğunuzdan daha iyi bırakmaya karar verin.

İş Yaşamında Başarısızlık İçin On Emir, bunları sadakatle ve düzenli olarak uygularsanız başarıyı ıskalayacağınız konusunda benim kişisel güvencemi taşımaktadır.

Ancak en önemlileri On Birinci Emir'dir çünkü Amerikan Rüyası'nı sürdürmek ve büyütmek için tutku şarttır. Ben ömrüm boyunca bu rüyadan yararlandım ve umarım ki daha kuşaklar boyu başkaları da aynı yararı görür.

İyimserlik ve tutku, önderlik ve toplumsal gelişimden dokunmuş o aynı kumaşın atkıları ve çözgüleridir.

Başarılı olmak istemiyorsanız, bu psikolojik unsurları dikkate almayabilirsiniz.

Yok eğer başarılı olmak istiyorsanız, dünyada kapladığınız yeri daha iyi bir yer yapmak için bunları uygulayın.

Bir uyarım var: Büyük heveslerin ve tutkuların, "gerçekçi" denilen kuşkucu ve kötümser insanlarda doğurabileceği eleştirilerden korkmayın.

"Gerçekçi ol" demek bazı durumlarda yerinde bir öğüttür ama hemen benimsemeden önce kendinize şunu sorun: Gerçekçi olmak sakın daha yüce, daha idealist bir hedefi, belki çevrenizdekilerin henüz göremediği ve anlayamadığı olağanüstü bir şeyin hayalini ortadan kaldırmanın kolaycı bir yolu olmasın?

> *"Mantıklı insan dünyaya ayak uydurur.*
> *Mantıksız adam dünyayı kendine*
> *uydurmaya çalışmakta ısrar eder.*
> *Dolayısıyla tüm gelişme, mantıksız adama bağlıdır."*
>
> –George Bernard Shaw

ÜSTÜNDE YAŞAYAN 6 milyarı aşkın yanılmaya açık insana ve bütün trajik kusurlarına rağmen gezegenimiz yine de harika bir yer. İnsan ne yana bakarsa baksın, biraz daha düzeltilse iyi olacak şeyler görüyor. Bana katılmayan çok kişi olabilir ama bütün insanlara daha iyi fırsatlar verebilmenin başta gelen araçlarından birinin iş dünyası olduğuna her zaman inandım. Bu dünyada çalışmayı, bir ayrıcalıktan daha fazla bir şey olarak gördüm. Bu, beraberinde her şeyi düzeltme sorumluluğunu da getirir. Coca-Cola ile geçirdiğim o talihli yıllar boyunca bunun birçok belirgin örneğini dünyanın her

185

yanında gördüm.

Yaklaşık 1600 yıl önce Saint Augustine şöyle yazmış: "Umudun iki güzel kızı vardır. İsimleri Öfke ve Cesaret'tir. Her şeyin olduğu gibi olmasına karşı duyulan öfke. Olması gereken hale getirmek için cesaret."

Çocuklarınız ve torunlarınız için daha iyi bir dünya istiyorsanız, inancınız olsun! Bir tek kişinin fark yaratacağına inanın. Ve o birey siz olabilirsiniz.

Risk almaktan vazgeçerseniz, katı olursanız, kendinizi uzaklaştırırsanız, yanılmaz olduğunuza inanırsanız, düşünmeye zaman ayırmazsanız, dışarıdan uzmanlara bel bağlarsanız, bürokrasinizi severseniz, karışık mesajlar gönderirseniz ve gelecekten korkarsanız başarısız olursunuz.

Olumlu bakarsak, kurtuluş umudu olduğunu da görürüz. Tepkide gecikmeden tehlike işaretlerini erkenden görürseniz, kendinizi yukarıda sayılan tuzakların bir veya birkaçından kurtarabilirsiniz. Bu tuzakları görüp onlardan kaçınmak bazen insanlar için de, şirketler için de güç olabilir. Ben dahil, Coca-Cola'yı yönetenlerin, zaman zaman bu hataların bazılarını işlediğimizi itiraf etmiştim. Ama bunla asla uzun sürmedi. Büyük şirketler ve akıllı insanlar böyle yapar. Düşseler bile, yeniden toparlanıp ayağa kalkmanın yolunu bulurlar.

> *"Jeanne D'Arc'a güldüler, fakat o doğruca devam etti ve planını sürdürdü."*
>
> —Gracie Allen

Teşekkür

Küçük bile olsa, hiçbir kitap tek kişinin çabasıyla ortaya çıkmaz. Son 25 yıl boyunca, beraber çalışma ayrıcalığını yaşadığım iki kişi vardır ki, sözlü ve yazılı iletişimime açıklık kazandıran ve düzenleyenler onlar olmuştur. Sözlü iletişim kurmam gereken insanların sayısının giderek arttığı yıllardan başlayarak, 1981'den bu yana John White benim yönetici asistanım ve ortağım oldu. Yazılı anlatımın uzmanı olduğu kadar, çok üstün yargı yeteneğine sahiptir. Bütün bu yıllar boyunca anlatmak istediklerimi ilk olarak anlattığım bir kişi ve editörüm oldu.

Gerçek bir rönesans insanı olan David Blomquist, yıllarca düşüncelerimi ve fikirlerimi düzene sokmak ve gerekçelerini hazırlamak gibi bir külfeti üstlendi. Fikirlerim bulanık ve anlaşılmaz olduğunda beni sorgulayan ve bu süreç içinde, yıllar boyunca konuşmalarımı ve yazılarımı her türlü dinleyici grubuna uygun mesajlar haline getiren oydu.

Irish American Magazine ve Irish Voice adlı yayınların kurucu ortağı ve yayımcısı olan ve aynı zamanda Kuzey İrlanda barış sürecinin önde gelen isimlerinden bir olarak kabul edilen Niall O'Dowd ile çok şey paylaştım. Tipik bir gazeteci araştırıcılığıyla, kökenim hakkında bulup çıkardığı pek çok bilgi, bu kitapta da, başka yayınlarda da yer aldı.

Portfolio'nun kurucusu ve yayımcısı Adrian Zackheim'ın cesur kararlılığı olmasaydı, bu küçük kitap asla basılamazdı. Editörü Courtney Young'ın ortaya getirdiği mantıklı ve akıllı sorular ve önerilerle bu metnin kalitesinde büyük ilerlemeler sağlandı.

Ulysses adlı eserinde Alfred Lord Tennyson "Ben karşılaştığım her şeyin bir parçasıyım" der ki, bu benim için özellikle geçerlidir. Çocukluğum ve gençliğimde elbette annem Veronica ve babam Leo'dan çok etkilendim. Müzik ve resme çok düşkün olan annem bana sanat ve edebiyat sevgisi aşıladı. Ailenin arta arda yaşadığı güçlüklerle boğuşmak zorunda kalan babam, geleceğe her zaman tutkuyla bakardı. Kendi iş hayatında amaçlarına ulaşmıştı ve dürüstlük, yararlı yaşantısının en önde gelen ölçüsü olmuştu.

Yıllar boyunca, hayranlık duyulacak pek çok kişiyle tanışmak ve onlarla birlikte ya da onlar için çalışmak talihine eriştim: Paxton and Gallagher şirketinden Paul Gallagher, Clarke ve Gilbert Swanson, Charles Duncan, Luke Smith, Paul Austin, Roberto Goizueta, Herbert Allen, Barry Diller, Jack Welch ve Jimmy Williams.

Beni Coca-Cola ailesine katılmaya davet eden, Coca-Cola Şirketi'nin babası Robert Woodruff oldu ve kendisinin ileri yaşlarında birlikte zaman geçirme ayrıcalığına sahip oldum.

Warren Buffett ile ilk olarak 1960 yılında, Omaha'da onların oturduğu evin karşısındaki evi satın aldığımda tanışmıştık. Uzun ve yakın dostluğumuz başlı başına bir kitap olur. Berkshire-Hathaway şirketinin yönetim kurulunda yer almayı bir onur sayıyorum. Warren hakkında dünyanın bilmediği ne söyleyebilirim? Şunu: Çok iyi dostum ve işinin zirvesine çıkmış harika bir insandır. Dünyanın en büyük sadeleştiricisidir. En karmaşık ekonomi teorilerini veya şirket sorunlarını verin, adeta İncil'den çıkma mesellerle kolayca anlaşılır hale getirir. Ben dahil, herkes ona hayrandır.

Coca-Cola Şirketi'nden 14 Nisan 1993 tarihinde emekli olarak ayrıldım. Ertesi gün Herbert Allen, Allen & Company şirketinin icracı olmayan başkanlığını teklif etti. Herbert gerçek anlamda, tanıdığım en hayranlık duyulacak insandır. Zeka ile bilgeliğin özel bir bileşkesidir. Aşırı cömerttir, toplumumuzun karşılaştığı önemli sorunlarla ilgilenir ve kendi reklamını yapmayan bir aydındır. Allen & Company'ye katıldığım zaman, herhalde benim en çok bir-iki yıl kalacağımı düşünmüştür. 14 yıl geçti ve ben hâlâ bu şirketteyim. Benden kurtulamadı. Bana verilen unvan görkemli, sorumluluklarım hiç de ağır değil ve bu aile şirketinin parçası olmaktan çok mutluyum. Herbert'in dostu ve iş arkadaşı olmak, onun oğullarıyla ve mükemmel kadrolarıyla çalışmak son derece heyecan verici.

Seyrek olarak, üzerinizde kişiliğiyle çok büyük etki bırakan biriyle karşılaşırsınız. Benim için bu kişi, Notre Dame Üniversitesi'nin 90 yaşındaki fahri rektörü Peder Ted Hesburgh oldu. Ted çok yönlü bir insandır. Rahip, eğitimci, kamu görevlisi, altı başkanın yakını, üç kez atanmış özel büyükelçi, Notre Dame Üniversitesi'nin 35 yıllık başkanı, Harvard Üniversitesi gözetmenlerinin eski başkanı ve dünyanın en çok onursal unvan almış kişisi. Time dergisi, onun Amerika'nın en saygın insanlarından biri olduğunu yazdı. Peder Ted, ben ve ailem için çok değerli bir dost ve yön gösterici olmuştur.

En son olarak, karım Mickie ile 50 yılı aşkın ve olağandışı bir yaşam yolculuğunu birlikte yapmış olmanın mutluluğu var. Altı çocuğumuz, onların eşleri ve 18 torunumuz yaşamımıza büyük tat kattılar ve katmaya devam ediyorlar. Neresinden bakarsanız bakın, gerçekten harika bir yaşamım oldu... Şu ana kadar.